EMILIO BACARDÍ MOREAU

HACIA TIERRAS VIEJAS

Obras completas de E. B. M.,
reeditadas por Amalia Bacardí Cape.

MADRID
1972

910
B12h
141824
Jue 1987

PLAYOR, Mar Menor, 16 - Madrid-33

A Mariano Corona

*Me hubieras leído, pero has desaparecido. ¿Y
qué? ¿La vida es solo la materia que aprisio-
na el alma? ¿El alma no es libre, como la idea
y como el espacio, y no existe siempre? Lo adi-
vinaste así antes de cerrar los ojos; lo palpas
revoloteando como el ave, como el insecto, como
el átomo... ¡Léeme, pues, y seguiremos unidos!;
tú, vagando en lo Infinito; yo, atado a la Tierra y contemplándote al mirar las estrellas, las
nubes que corren y la ola que viene...*

INDICE

I

(Al partir de Santiago, 26 de abril de 1912)

¡A partir! Es el día señalado, y la ansiedad natural impide que se descanse, que se duerma.

El vapor *Prinz Joachim* debió haber estado en la bahía a las seis de la mañana; no fue así, y fondeó a las ocho y media; en vez de partir a las nueve, vino a hacerlo a las dos y media de la tarde.

La mañana estaba alegre, más que los que nos marchábamos, más que los que nos despedían. Cuando se deja la patria, y con ella el hogar, aunque sea por propia voluntad, se siente natural congoja. ¡Es tan incierto lo desconocido, y lo desconocido es todo lo futuro!

Las despedidas efectuadas en el Club Náutico se renovaron en el vapor, y unas después de otras sólo sirvieron para apretarnos el corazón más y más. ¡Por fin quedamos solos!

La Sierra Maestra se ostenta, como siempre, llena de altivez y de verdor; azulosa casi toda ella por la distancia, se confunde el picacho de la Gran Piedra, envuelta en estos momentos por fuerte chubasco con el firmamento; cadenas de nubes se ciernen sobre las montañas y van indicando que mayo está ya en las puertas.

El vapor carga a toda prisa sacos de cacao, cantidad de pieles de reses y barriles de miel de abeja. ¿Por qué antes Cuba, colonia, no se movía dentro del trabajo como lo hace hoy?

Hay que convenir en que, sin libertad completa, un pueblo no es pueblo; es un autómata moviéndose a la voluntad ajena y hasta donde les plazca a sus dominadores, explotadores con frecuencia, y cuyo señorío rómpese por el común esfuerzo, crujido de hierro contra hierro y el bregar de cuerpo contra cuerpo...

Hay cansancio verdadero en nosotros: se ha sufrido mucho en pocos días. El incendio de la Marina, en el cual, desesperados por la impotencia en el primer momento, fueron los minutos horas; después de la tensión nerviosa, inevitable en los instantes de lucha, quedó nuestro cuerpo sin fuerzas, como en convalecencia tras larga enfermedad; luego la desaparición de Mariano Corona, su manera de morir, su vida, sus hijos, sentir casi como ellos, fue todo esto huracán que pasaba sobre nosotros. El viaje, a bordo, será tregua para recuperar la salud del alma y la del cuerpo.

Santiago, pintarrajeada, va girando a nuestro alrededor, en tanto que, sujeto por el ancla de proa, voltea sobre sí mismo el vapor, y como una coquetuela, tan pronto se nos presenta la ciudad de un lado, como tan pronto se nos asoma de otro.

Los esquifes de vapor se alejan, y los pañuelos, sacudidos al aire, van diciéndonos adiós; con lágrimas en los ojos les respondemos; lágrimas llevan también los que van a tierra y nos dejan: hijos, nietos, hermanos, amigos. «¡Hasta la vuelta!», les gritamos. Y «¡hasta la vuelta!», sentimos repercutir en nosotros, y la duda desaparece, y nos sentimos enérgicos de nuevo y dispuestos a continuar luchando por la existencia, y nos decimos en lo hondo de nuestro ser: «¡Volveremos! ¡Hasta luego, Cuba!».

A las dos y cuarto una corneta nos avisa que pronto marchamos, que ya se está listo y que los que tienen que bajar a tierra deben hacerlo. Se suceden los últimos adioses de los que han permanecido a bordo; suenan los silbatos de las lanchitas; la banda musical rompe en una marcha; nos ponemos a la borda del buque, y aun repetimos el ¡adiós! a los que nos lo siguen diciendo; un vals sucede a la marcha, trepida el buque, el vapor se mueve, corta la proa las aguas de la quieta bahía, y ya partimos. Suenan pitos de mando: proa al Morro.

En la lejanía manchas blanquecinas empañan la esmeralda; es que sigue lloviendo en las montañas.

Cruzamos por frente a Punta Blanca, la batería de Isabel II, el antiguo gasómetro, la planta eléctrica, y todo va desfilando cinematográficamente ante nuestros ojos; después el muelle de la Juraguá, con sus pilares pintados de rojo; allí viene Cayo Ratones, tan abandonado y solitario como toda la vida; ahí queda el barrio de Cinco Reales, y ya van presentándose los acantilados que estrechan la bahía sobre Cayo Smith, luego de dejar detrás a Punta de Sal, triste e inútil tiempo atrás, y renaciente hoy como centro industrial de embarque de cobre de las minas de Santiago del Prado.

La música redobla sus marchas y tocatas; la proa va como potente tajamar levantando sábanas de espuma, que parecen más blancas por el verde sombrío de las orillas, y un bote pescador balancéase violentamente a impulso de la marejada que produce el *Prinz Joachim*. ¡Ya viene Cayo Smith! y la banda a más y mejor continúa con piezas musicales, cortas todas, como para distraer momentáneamente y no cansar.

¡El Morro! ¡Testigo mudo de una época pasada, gigante muerto que permanece de pie como epitafio de una era que no ha de volver! ¡Y ni una bandera de la patria indica al que llega que es patria cubana la tierra que está delante!

Frente por frente al castillo la banda se despide de nuestra tierra lanzando al aire las notas del himno cubano. ¡De qué manera tan distinta vibran en nosotros esas notas; cómo hieren al corazón, y cómo las percibimos con encanto desconocido cuando las escuchamos en tierra! ¡Ya somos extranjeros en el mundo!

El mar nos indica con su agitación que ya estamos completamente fuera; el buque se balancea como débil barquilla; el horizonte, inmenso hacia el Sur, se une con el mar y con los cielos, y ¡qué azul tan intenso el de esas aguas! ¡Y cruzamos frente a las minas de Juraguá y de Daiquirí, y vamos dejando tras nosotros las costas de Cuba, de rocas escarpadas, picachos áridos, farallones profundos, y que de Maisí a San Antonio semeja enorme caimán dormitando sobre el mar Caribe, y cuyo lomo dentado lo forman los picos de las montañas que en otro tiempo, en una época paradisíaca, fueron hermosos cafetales.

La noche se avecina. ¡Un faro! La boca de Guantánamo, las Carboneras; vamos sobre Maisí, y el toque de una corneta militar, por tres veces, nos dice que es hora de comer.

II

El movimiento fue demasiado fuerte al doblar la Punta de Maisí, y la mayoría de los pasajeros hubieron de recogerse en sus camarotes.

Un poco de luna se ostenta en el espacio, y las estrellas con titilación incansable parecen guiñarnos con sus cambiantes de luz; las olas baten reciamente el buque, como si les molestara ese *chicuelo*, por su osadía al surcarlas; hácese silencio, y bien que mal, con calor más o menos sofocante, se trata de dormir, y se duerme uno obligado por el mareo.

Al día siguiente, muy de mañana, el sol, saliendo de las ondas, con un disco que parece gigantesco, introduce sus rayos por el cristal del tragaluz y nos dice: «Son las seis, levantaos.»

Viene con nosotros el veterano de nuestros artistas pintores: Federico Martínez. Y su presencia nos recuerda la primera exposición de pintura que hemos tenido en Santiago, antes de la *primera guerra*, la de 1868.

Estaba entonces con nosotros el pintor inglés Goodman y el cubano Joaquín Cuadras, y fue aquello una verdadera nota de arte pictórico. Entre los cuadros que descollaban había una Venus, de Martínez, premiada en Florencia.

Aquellos tiempos fueron tiempos de cultura, tiempos precursores de revoluciones, que se manifiestan cuando el arte, como símbolo de progreso, se desenvuelve en tierra esclava; y es natural, toda civilización trae alteza de miras, refinamiento en unos y rebeldía en otros, cuando la igualdad no equipara a los ciudadanos reconociéndoles iguales derechos, puesto que son iguales sus deberes.

Centros de música como la academia de Santa Cecilia, colegios particulares como los de Santiago, Santa Rosa y San José, en donde todo se aprendía, y academias donde se enseñaba matemáticas, dibujo, gimnasia y cuanto es adorno del cerebro y cultura del cuerpo.

Perugini, profesor de canto; Laureano Fuentes, Boza, Figueroa y otros, de música; «Merito» Guevara, de pintura; Homassell, de aritmética mercantil; José María Villafañe, Manuel Fernández, Francisco Martínez, Gómez Villasana, de gramática, literatura, dibujo lineal, matemáticas; Benito Riera y Francisco Lozada, de física y química; y aficionados al *bell canto* como Ignacio Carbonell, José Bueno, Mariano Vaillant, eran ejemplares brillantes de lo que se hacía; verdad que habíamos tenido, en nuestro «Teatro de la Reina» a la Pancaldi, Cortesi, Sbriglia, Sforza, y había debutado en él la estrella incomparable: Adelina Patti...

A las doce del día se nos presenta una especie de islote, bajo, sin altura ninguna, una playa blanca, alguna vegetación rastrera y alguno que otro árbol debido a la mano del hombre.

El vapor se detiene; vamos a dejar trabajadores de este cayo, que se llama «La Fortuna», trabajadores que se reintegran al volver de Puerto Limón, Colón y Kingston, para volverlos a tomar al retornar de Nueva York: este islote puede definirse con una sola frase: *no hay nada.*

Algunas casas de tejamaní diseminadas, una más grande, y el pabellón de la Gran Bretaña diciendo a los que llegan y a los que pasan: «Dondequiera que haya tierras, un pedazo es mío.»

De prisa, a la carrera, son desembarcados los obreros; traen para su país porción de bultos, comestibles y otros efectos comprados por allá; un bote atraca, toma la correspondencia, el silbato del buque lanza, con una nube de vapor, un grito estridente que dice: «Me voy»; bate la hélice el mar, y pronto desaparece de nuestros ojos ese pedazo de la Inagua.

Unos tiburones nadan perezosamente alrededor del vapor, y su aspecto es de animales inocentes e inofensivos, y lo son, según dicen.

Una familia negra vuelve al terruño: se compone de la mujer, negra gruesa, bien parecida, el marido, joven y gallardo, un niño de unos seis años y una niñita de pecho.

La crítica, que suele ser mordaz donde haya dos individuos que se puedan entender, hace notar que la niñita, que va en brazos de la madre, no es negra. «¡Qué raro!», agrega el que hizo la observación, a lo que responde el que escucha: «Se lo he preguntado a la madre y me ha respondido que, para que sus hijos nazcan sanos y robustos, al estar en cinta toma un purgante cada semana.»

III

Hoy se debía haber llegado a Nueva York —martes 30 de abril—, pero el día amaneció envuelto en una niebla muy densa, que obligó a sujetar la marcha a un cuarto de máquina. La sirena lanza a cada minuto a la atmósfera gris, que no nos deja ver a diez brazas, sus sones estridentes para evitar un choque, y nos

viene a la memoria la catástrofe del *Titanic*, fatalidad
terrible por el exceso de confianza del hombre en su
obra, y grande por la serenidad en el morir de los pasajeros, despidiéndose tranquilos en aquel momento
de horror, enviando a los cielos sus últimas plegarias
al son de un canto de agonía, pidiendo a un Ser superior amparo y misericordia para dentro de breves instantes: el alma anticipándose a su estancia en lo infinito.

Diríase que la Naturaleza, como personalidad cons-
ciente, estuvo al tanto de la construcción del buque
coloso; vio poner la quilla; siguió la marcha del casco; miró alzar la arboladura; los camarotes levanta-
ron sus divisiones llenos de ricos decorados; las pinturas adornaron los salones regiamente, y las artes
concluyeron diciendo: «No hay ya nada más que hacer, es un buque perfecto, e igual al más grande de los
cetáceos, lanzarán sus pulmones chorros de vapor que
se transformarán en nubes, y sus hélices, aletas pode-
rosas, romperán las olas y destrozarán sin esfuerzo lo
que hallen a su paso.»

Diríase un reto del hombre a la Naturaleza, incre-
pando a ésta: «De tus distancias me reiré; tus huracanes serán para mí brisas del Océano, y tus abismos
sin fin no existirán para mí, porque mi buque es in-
destructible e insumergible.»

Y lanzóse el *Titanic*. Arrogante y soberbio, cortó
las olas con más rapidez que el pez, y traspasó el espacio con más velocidad que el águila, y su ligereza,
alcanzando a dos y tres olas, hízole correr sobre el
agua como patín que se adhiere al hielo, que se clava
y se desliza con suavidad increíble.

¡Victoria! Y ¡ay! que Natura, impasible e implacable, en acecho del buque, tendió la mano a través
de la ruta del colosal vapor, y sin que lo sintiera éste,

sin que se diera cuenta de ello, lo detuvo, y un poco
de agua congelada, agua que a los primeros rayos de
un sol primaveral tornárase transparente, clara y dúc-
til, arrastró al seno de la madre Naturaleza fuerza, ri-
queza, valor y todo aquello con que el orgullo humano creyó hacerse invencible y absolutamente poderoso.

Y piénsese en la tragedia sublime de aquel momento; recapacítese sobre el horror de aquella grandeza.
La luna, inmutable, irisando la espuma de olas de ala-
bastro que apenas besan el casco gigante; la atmósfera serena, brillante de constelaciones que parpadean
en lo infinito; el buque detenido en su impulso, como
toro herido de muerte en el circo, que queda inmóvil
y alelado antes de rodar por la arena; las chispas mar-
conigráficas, unas tras otras, cruzando vertiginosas,
como gritos de desesperación lanzados a la humanidad entera; el vapor escapando por los costados, como
aliento que brota del cuerpo fatigado y exhausto de
fuerzas; el silencio imponente del terror en los tripulantes, atentos a la voz de mando; las canoas de sal-
vamento tiradas al agua; el *chas* de las quillas al chocar precipitadas con la onda amarga; la congoja partiendo de labios pálidos de los que se van salvando;
el llanto de los débiles que se ven perdidos, y después
el batir de los remos que se alejan; la incomparable
melodía de los resignados cantando el *Más cerca de ti,
Dios mío* con tono conmovedor jamás oído, vibrando
en el alma de los que han de sobrevivir con el rítmico
sonar de cuerdas que estremecen, penetrando en lo
más hondo del sentir humano de manera indecible que
no volverá a ser nunca, y luego... callar poco a poco,
perderse el canto con el postrer suspiro, vibrar el último instrumento, ir las aguas subiendo lentamente,
vacilar en la superficie puntos de mástiles, y... de pronto, estallido ahogado y feroz, una convulsión espanto-

sa que arremolina las olas como estertor de gigante que desaparece en el abismo... Después... después puntos negros que se pierden en la noche, la ola siempre azul, el cielo impasible, silencio tétrico cubre a los que se hundieron, pánico envuelve a los que navegan en los botes a merced del azar... ¡Y el *Titanic* fue!

La inconsciencia del hombre es grande; no valen ni la experiencia ajena ni las desgracias sucedidas, y los acontecimientos se borran de la memoria en el presente de la misma manera que se presentaron.

Anoche, suponiéndose nuestra llegada a Nueva York hoy, hubo, como de costumbre, una comida de gala, despedida y baile, a las nueve de la noche. Era ésta espléndida, y la luna servíanos de lámpara cenital, haciendo palidecer los bombillos eléctricos del salón.

Habíase anunciado para los postres un *helado eléctrico*, y a la hora de esto se presentó en el comedor una mascarada. Dos disfrazados de soldados, uniforme desconocido, con sendos sables de cartón; detrás de ellos una hermosa mujer, representando a Germania; luego un bufón, y detrás de éstos, en procesión, todos los camareros llevando cada uno una bandeja, y en ella una casita transparente iluminada, y junto a la casita un helado de leche, en forma de pirámide, que nos fue servido al son de la orquesta después de recorrido el salón.

Trájome esta fiesta a la memoria otra que se hacía anteriormente en los buques de vela que venían de Europa, al llegar al trópico de Cáncer. Se ponía a contribución a los pasajeros —cuestación a favor del pobre marinero—, y representando uno de ellos al dios Neptuno, amonestaba a los que se atrevían a pasar por sus dominios sin pedirle permiso ni pagar la correspondiente contribución. En 1857 presencié esta

fiesta en la corbeta *Teresa Cubana*, capitán Boliver,
que me llevaba de Barcelona a Santiago.

Una joven, profesora inglesa, trasladada de Kingston al Canadá, nos baila una danza griega admirable,
y luego la serpentina. Aquella criatura, de formas perfectamente desarrolladas por el ejercicio, nos hace ver
cómo es el baile, rítmico y ondulante, ejercicio de
completa moralidad, haciendo que se contemple con
placer, regocijados los ojos, y siguiendo con el alma
los movimientos del revolotear de la mariposa yendo
de flor en flor, y demostrándonos cómo la dulzura y
el amor están encarnados en todo movimiento y cómo
la perversión y la procacidad son hijas del hombre
que, corrompido a su vez, destruye las bellezas de la
antigüedad, dando paso a la lascivia en las danzas que
fueron gloria de los santuarios orientales, allá en los
tiempos hermosos de la Grecia culta y adoradora de
la belleza clásica.

IV

¡Por fin, la Nueva York renombrada, la del movimiento incesante, la del entrar y salir continuos de
buques, la que en el deseo de los cubanos ¡tal la ala-
ban! parece ser su Jerusalén anhelada!

Al amanecer del 1.º de mayo una niebla, que cla-
rea, permite distinguir siluetas de edificios a la entrada del río, sitio en que ancla el vapor, y luego luces
eléctricas mortecinas nos indican el lugar de otros.

Una luna llena, de un anaranjado claro, está sobre
el horizonte y va desapareciendo, hundiéndose, mien-

tras una claridad blanquecina, por entre la bruma plomiza, tirando a negro, nos alumbra la tierra que tenemos delante.

El frío, intenso ayer, ha disminuido, y el aire no molesta. Quieto el buque, van cesando el mareo y las fatigas naturales de la travesía.

El día va llegando. Un sol cromo como la luna y en cuyo amarillo hay una gran cantidad de rojo de Saturno, con una lentitud que nos parece pesada por el ansia de desembarcar, quebrantando con escasa luz la cortina de niebla, lo envuelve todo, envía escasos resplandores, que hace más perceptible lo que había permanecido oculto hasta entonces. El buque echa a andar de nuevo, los pasajeros acuden a cubierta, y en tanto vamos acercándonos a nuestro muelle, la banda de a bordo nos despide con marchas que nos regocijan, y el recuerdo de nuestra Cuba se presenta de nuevo más vivo en nuestra mente, con esa música, al atracar al muelle; repercuten como sones del pasado, de aquella época de la constitución de nuestra República, y se renuevan las memorias de campañas en que, unidos todos por un solo amor, un solo ideal, no vibraban nuestros corazones sino por un solo sentimiento: ¡Cuba!

¡Adiós, *Prinz Joachim*! Y el coche, tras ligera visita de sanidad y aduana, nos arrastra hacia el hotel.

V

Los pasajeros todos, al dirigirse el *Prinz Joachim* al puerto de Nueva York, no tuvieron más que un deseo vehemente, y apoyados en la barandilla de proa, los ojos trataron de distinguir, antes que nada, lo que ansiaba ese deseo prepotente: ¡la estatua de la Libertad!

«¡Allí está!», fue la exclamación de cada cual, señalándola al mismo tiempo, mientras iba surgiendo, y alzándose, y creciendo, y adelantándose a nosotros —por lo que iba el buque avanzando— como una diosa protectora que llegase a dar la bienvenida a los que arriban a sus lares.

¡Simbólica figura, perfectamente erguida, serena, llevando alta, muy alta, la antorcha de luz que dice a los que desembarcan: «Pasad, estáis en mi hogar; sed bienvenidos a una tierra de clásica libertad.»

Y esto se percibe apenas la planta del viajero se posa en el piso de las calles. Unos que van, otros que vuelven, se cruzan, se estrechan, pasan, corren; carros, coches, carromatos, pequeños carretones, automóviles; tranvías por las calles, tranvías por arriba, tranvías por debajo, traen consigo la idea de la locura del movimiento, pero movimiento ordenado, *disciplinado*, sin grandes ruidos, sin molestarse los unos a los otros, sin reparar el que llega en el que cruza, sin fijarse nadie en la figura que se detiene ni en el traje que se lleva. ¡Qué le importa a cada cual más que su propia ocupación! *¡Go ahead!*, clásica frase de libertad absoluta que lo resume, lo abarca y lo comprende todo.

Esa mísma preocupación del individuo por su interés propio, absorbe sus facultades de manera tal, que creeríamos ser todos unos autómatas obedientes a ajena voluntad; y casi es así, pero, obedeciendo a la voluntad interna del cerebro o del corazón que les traza la ruta diaria del deber, y sin desviarse un ápice de él, se va al cumplimiento que el *deber ha impuesto;* y de aquí nace perfectamente —para nosotros— el derecho de todos, con sus consideraciones y sus respetos, produciendo por lo tanto la libertad absoluta y verdadera que de una manera tan amplia existe en la patria creada por George Washington.

Aun no se ha visto la población, conocemos cortísimo radio de ella, y sólo un poco de lo observado tranquilamente al través de los cristales de nuestra habitación nos permite hacer algún juicio.

De Maistre escribió un libro curioso, *Un viaje alrededor de mi cuarto.* Leído con interés hace tiempo, nos sugiere la creencia hoy de que pudiera escribirse otro con el título de *Una ciudad desde mi ventana,* y disertamos con una filosofía propia, brotando del cerebro con independencia absoluta en tanto contemplamos a los que transitan con andar ligero.

Dos criaturas, de unos diez a ocho años, pasan de brazo, menudean los pasos como pareja de tojositas en busca de grano, alimento diario; delante de ellas va un matrimonio; la madre lleva de la mano un niño que con un bastoncito estorba el paso al que anda, alargándolo por entre las piernas de los que cruzan: es su diversión; una de las *tojosas,* sin mirar siquiera, da con el pie al bastoncito, lo lanza, arrancándolo de las manos del niño, no detiene el andar ni vuelve la cabeza para mirar lo que ha hecho; los padres tam-

poco se fijan en lo sucedido; el niño se estira y reco-
ge su bastón, sin decir nada tampoco, y el *¡Go ahead!*
señala la libertad individual, tal como debe ser en pueblos civilizados: hermosa y soberana.

Sonrío al llegar a este incidente, y me traslado
mentalmente a Santiago, y reconstituyo la misma escena en cualquiera de nuestras calles, lo mismo en el
Parque de Céspedes que en los suburbios, y mis oídos
escuchan a la madre exclamando: *¡Atrevidos!* y el padre agregar: *¡Malcriados e insolentes, hagan esto con
sus hijos!* Y seguir una *bendición* de palabras de *fres-
cos, no parecen lo que son,* y quizás, quizás hasta *lam-
puzos* y cuántas cosas más, seguidas por el lloriqueo
y el *berrear* del chiquillo malcriado. El tiempo nos
dará el hábito de hombres libres.

Una comparsa de sufragistas, con pendones y músicas, van o vienen de un mitin; muchos hombres llevan bandas y gorras rojas, y todos banderitas encar-
nadas también; ni un grito. Pasan, se les mira un momento, no se les critica, no se les ridiculiza por osten-
tar los símbolos de sus ideas; las mujeres van compactas, y cada cual, curiosos y sufragistas, inaltera-
bles en su perfecto derecho, ejercitan lo que a cada
cual corresponde.

Una mujer gruesa, sin sombrero, peliazafranada,
mofletuda, encendida como una manzana, disputa con
el hombre que la acompaña, gesticula, manotea. ¡Qué
importa! Nadie se fija, van a su negocio, están en su
derecho, y viene a mi mente el dicho escuchado tantas
veces: «¡Estoy en la calle; la calle es del rey!».

Dos jovenzuelas en el centro, dos mozalbetes a
cada extremo, todos de bracete, y además cogidas las
manos que se cruzan, de prisa, charlan, ríen, vuelan,
la alegría es su alma y su *negocio* del instante; nadie

les hace caso, no se murmura: *¡Go ahead!* Están en su derecho.

Allá va la turbamulta: sombreros polícromos, raros, rarísimos; una mujer vestida de negro parece un cura; una negrita vestida de blanco con un sombrero rojo y con falda tan estrecha, que casi no puede andar. ¡Traje blanco, y todavía en invierno! Mujeres con penachos, colores chillones y originales. ¿Qué importa? Nadie se da cuenta ni de que hay gentes que van pasando. *¡Go ahead!* Están en su derecho. Se trasladan de un lugar a otro.

Y nota simpática: dos niñeras atraviesan la calle con sus cunas-carricoches, en las cuales duermen dos niñitos, manzanas por el color, y angelitos por lo bonitos y tranquilos; se les cede el paso, los carros se detienen, y de pronto, de toda la multitud vertiginosa aquella desciende sobre las dos criaturas una mirada protectora, y momentáneamente hay una égida poderosa para aquellos dos seres inocentes que duermen al aire y al sol: es el presente rindiendo pleito homenaje a lo futuro... *¡Go ahead!*

Recorriendo parte de Broadway, notamos las banderas a media asta, tributo que se rinde a las víctimas de la catástrofe del *Titanic,* cuyos restos van trayendo vapores que llegan. ¡Descubrámonos con respeto!

En los parques hay bancos con letreros que dicen: *For children and women,* y todo hombre, al ocupar uno, habrá de cederlo inmediatamente. No le pertenece. ¡Oh grande y hermoso respeto a los seres más débiles: la mujer y el niño!

Salimos a visitar a una cubana, y cubana de Santiago, la señora Sixta Giro, establecida aquí hace años. Para ir a su casa, calle West, 69, acompañados por quien conoce este laberinto, bajamos a tomar los tranvías subterráneos, *sub-way*, camino de abajo.

Y hétenos aquí hurgando, dentro de un carro que parte con rapidez, caminos tortuosos, obscuros; deteniéndose en estaciones para tomar o dejar pasajeros; cambiando nosotros de trecho en trecho, sin darnos cuenta de adónde vamos ni de dónde venimos, y así, rodando durante media hora larga, nos bajamos definitivamente, y salimos a la luz, y podemos dar, como navegante extraviado, un grito de salvación: ¡Tierra!

¿Y la vuelta? Preferimos volver a pie, y recorriendo Broadway, sin detenernos más que el tiempo preciso para fijarnos en alguno que otro aparador, hemos empleado dos largas horas: ocho millas recorridas; dos leguas mal contadas.

Era preciso descansar, y descansamos.

VI

Viajar por viajar, es decir, moverse como se mueven los turistas; llegar a un lugar y limitarse y conformarse a lo que los ojos vean rápidamente en los edificios, monumentos y parques que los guías nos señalan; quedar satisfechos con las frases lanzadas por la bocina del «cicerone», que va gritando a más y mejor: «¡Estatua de Lafayette!», «¡Calle Broadway, con establecimientos de lujo!», «¡Edificio de cincuenta pisos, cuyo costo es de tantos millones de pesos, propiedad de Fulano de Tal!», parécenos que habrá de bastar únicamente a los que sufren la *enfermedad del movimiento*, enfermedad que se limita a correr y correr, no quedando en el cerebro sino ráfagas confusas, como ráfagas son las impresiones en la retina, y no ansiando nada más que sentirse contentos y satisfechos en el momento, y más tarde, en grupo íntimo, en el pueblo o en el hogar, con risa argentina —si son jóvenes— y cascada —si son viejos—, relatar esas ligeras aventuras, mereciendo los aplausos de los oyentes con el *splendid*, *fine*, cortesía norteamericana de hallar bueno o bello aquello de que se hable; pero para el que busque *un alma* en lo que se visita, no basta esto, no, de manera alguna.

Esa velocidad en el andar, sea por tierra o sea por mar, no nos basta a nosotros, que ansiamos hallar, hasta en los edificios de piedra y ladrillo, por muy antiestéticos que sean, el alma que debe palpitar en toda creación. Y —¡fantasía del propio espíritu!— dámosle inteligencia a la materia misma, y nos parece que nos entiende, que nos comprende y con nosotros simpatiza. Y si esto es así con lo inanimado, ¿cómo no habremos de gozar con el individuo —el del pueblo sobre todo— al *filosofar* con su manera de ser, pensando con su pensamiento, tratando de vivir su vida y compenetrándolo de manera tal, que encontremos fácilmente en él el porqué es como es? Después apreciarlo en lo que vale es nuestro deber, y darnos cuenta de lo que palpita y vibra como inherente en su naturaleza es la patria, patria que se trata de honrar, elevándola en la opinión de las naciones, no sólo por el rico desenvolvimiento colectivo, sino haciendo que se refleje en el individuo, para que sus actos malsanos no sean salpicaduras de deshonra que alcancen a la madre común. El carácter, más o menos británico, se habrá modificado con el impulso avasallador norteamericano que, como alud irresistible, vive dando impulso al progreso humano; pero perdurando en la raza nueva el distintivo del inglés, y acomodándolo a ellos mismos, se repiten los hijos de los Estados Unidos: «Si yo no fuera americano, quisiera ser americano.»

Y este pueblo es un pueblo bueno e inocente, o es su candidez exceso de tolerancia en todas sus manifestaciones. Ocurriósenos ir por la noche a uno de los tantos teatrillos que funcionan constantemente —algunos de media noche en adelante y otros de las siete de la mañana a media noche—, y era variada función por tandas. Vestidos de torero y de maja, unos artistas cantaron el dúo de la ópera *Carmen;* seguidamente se siguieron unas vistas cinematográficas; luego una canción de gitanos, en carácter, tocando uno de ellos muy bien el violín; tras esto un monólogo; detrás de éste, otro, y sucesivamente una piececita cómica, en un acto, ocurrente y bien representada, y luego uno de los mismos de la orquesta cantó no sabemos qué ni sabemos cómo: total, fuera de los gitanos y de la pieza en un acto, lo demás malo, malísimo.

Y aquí de la tolerancia de las gentes: el teatro lleno, lunetas, palcos, galerías y tertulia, y aplaudían una, dos y tres veces, cuando lo merecían los actores, o callaban dando algún aplauso aislado cuando en otra parte hubieran recogido una lluvia de silbidos. Y sacamos en consecuencia —y lo notamos como uno de los actos de libérrima voluntad que da este resultado— que si al individuo que paga para asistir a una de esas representaciones, matando el tiempo o distrayéndose de las faenas del día, no le agrada la función, con levantarse y salir ha terminado, porque lo que le desagrada a él —uno— agrada a los demás —ciento— y no tiene, por lo tanto, derecho a molestar a nadie; y por otra, esos pobres actores, sin pretensiones, que tienen necesidad de ganarse la subsistencia, llevando la vida azarosa del bohemio, teniendo madre, mujer

e hijos que mantener, ¿no se merecen los diez, quince
o veinticinco centavos que cuestan asiento y entrada,
evitándoles así la necesidad de hoy, el hospital del
mañana, la limosna pedida a todo instante, o el crimen y la prisión por último?

Y aceptamos este parecer nuestro al notar que hay
gentes que dejan el teatro andando silenciosas para
no perturbar a los que quedan, y aceptan y perdonan
a los malos artistas —en estos teatrillos— como deber
de protección al desvalido y como resultado del carácter y civismo del norteamericano. Podremos equi-
vocarnos, pero plácenos pensarlo así, y nos figuramos
que estamos en lo cierto.

Andando y desandando al través de la ciudad, llegamos a la Bolsa comercial, centro de griterío y ges-
ticulaciones imposibles, y con aullidos de locos, inteli-
gibles solamente para ellos, los hombres de negocios
bursátiles se agitan como endemoniados, y delante de
la Bolsa, en medio de la calle, un grupo de unos dos-
cientos gesticula y chilla también, como eco y reflejo
de los otros: son los agentes de acciones no admiti-
das en la Bolsa.

Estos son «otros locos», y para que no impidan el
tránsito, la policía los tiene acorralados en un círculo
de cuerdas, sujetas por pilares de hierro; y es curioso
seguirles en la compra y venta de acciones a compás
de indicaciones hechas por individuos desde las ventanas de las casas, con la bocina del teléfono en la
mano, haciendo señas que sólo ellos saben lo que sig-
nifican, y venden, y compran, siguiendo la táctica que
les indican sus directores.

La fiebre del negocio con todas sus exageraciones
dura hasta las tres de la tarde. Y ese maremágnum,
imposible de sufrir para el profano en ese arte, cesa
como por encanto, imponiéndose sepulcral silencio, al

dar el reloj las tres campanadas, y se sucede al *corre-corre* de las liquidaciones, envío de notas, firma de cheques por las operaciones efectuadas, que deben quedar incuestionablemente satisfechas a la hora del cese total de los negocios: cuatro de la tarde.

¡Loca y más loca humanidad!

VII

Este es un capítulo que lo saltará el que quisiera y lo leerá el que gustare, algo así como dijo el genial Espronceda con referencia a uno de sus mejores cantos: el dedicado a Teresa.

Hemos de tratar de lo que para muchos es un punto delicadísimo, y al cual se le da una importancia que no tiene en absoluto para nosotros: la cuestión de las *religiones*. Y habrá de fijarse el lector en que no decimos *religión*, sino *religiones*, que entendemos ser cosa muy distinta y esencialmente diferente: una es la idea santa; otra, el culto, el ritual reglamentario.

Y es este capítulo profesión de fe nuestra, profesión que consideramos necesaria, que nadie pide, pero que debemos dar, y que habrá de servir de base y aclaración del porqué de nuestros razonamientos.

Religión es el sentimiento del alma, la pasión del corazón que anhela un más allá que llegue a recompensar, premiar o dar reposo, con individualidad permanente, al ser que luchó afanoso en la tierra, venció y fue vencido, vivió con holgura o sufrió grandes escaseces, y que en el desenvolvimiento de sus pasiones conservó y practicó el bien, en mayor o menor escala, con intensidad o con flaqueza, con toda la caridad del que experimenta pesar por el ajeno sufrimiento y trató de remediarlo, materialmente, si pudo, o moralmente si a ello sólo alcanzaron sus fuerzas.

Religión es escudriñar espiritualmente lo infinito, inquirir el misterio de Dios bajo cualquier aspecto, y obtener una adivinación que alivie el ansia del conocer, producto de una fe.

¿Y religiones? No se nos culpe por dar nuestra franca opinión; estamos obligados a decir lo que pensamos, lo que sentimos: el concepto mismo que poseemos de un ser superior, incomprensible para el cerebro humano, de un Jesús reformador misericordioso, nos obliga a ello. No es esta declaración orgullo ni vanidad; es sentir que es herejía el atribuir a Dios sentimientos tan humanos, tan egoístas, tan interesados... y tan perversos como los del hombre.

Religiones son las formas exteriores palpables; son el *bussiness* —y encontramos más gráfica la palabra inglesa— que se aprovecha del sentimiento de una fe que palpita en el hombre al unísono de los latidos del corazón; que la explota a su manera, creándose, bajo diferentes procedimientos, un modo de vivir sin fatigas y sin esfuerzos.

Las iglesias son exposiciones permanentes, cuyos altares son a su vez anaqueles que se admiran. El altar enriquecido de flores, flamea de luces; una obra escultórica, más o menos perfecta, se yergue en el centro; irradian y destellan como luceros la corona de oro y las piedras preciosas, y el brocado y los hilos de metal relumbran y se graban en las retinas de los que llegan fervorosos a ponerse de hinojos ante una imagen.

Y las excitaciones en las iglesias se adueñan de la criatura; una tensión nerviosa enardece el cerebro, lo comprime, y la mujer, manojo de sensibilidad inconsciente, acrecentada por la claridad opaca de las bóvedas, por los colores de las vidrieras, por el recato de las gentes, por la mirra que humea, por el cuchicheo de las que rezan, se siente arrebatada de amor por la imagen de su devoción, y confundiendo a Dios con el hombre, lo divino con lo material, el histerismo corporal con el fervor interno a una bondad infinita, estremécese llena de pasión voluptuosa, y dispuesta a todos los sacrificios, como el ser amado lo demuestra con el elegido de su corazón, hace derroches de dinero para misas, templos y joyas de mérito positivo.

¡Pobre Dios!

«¡No tenemos imágenes!», exclamarán gozosas las sectas que renegaron del dominio del Papa romano; pero aun sin poseerlas, padecen de idénticos males, bajo otro aspecto, y el Cristo tan alabado habrá de huir también de los edificios del protestantismo. ¿No hay en los países más civilizados harto que luchar, que enseñar, que encauzar? ¿No hay miserias que aliviar? ¿No hay caídas que evitar? ¿No hay enseñanzas que propagar? Tienen en verdad éstos una ventaja sobre los romanos: la creación de un hogar, y ante éste nos descubrimos respetuosos; pero entonces, ¿a qué el empleo de la recaudación fabulosa en lo que se llama «Casa del Señor», levantando palacios para el culto, y el enviar a lejanos países misioneros que, en vez de propagar concordia, sirven para excitar, irritar y hacer antagónicos a indígenas y conquistadores, predicando que la fe verdadera es la que llega y la fe mentirosa la heredada y la que perdura?

Y ambos cultos olvidan que la labor de Jesús fue mitigar el mal y difundir el amor y la esperanza, tal como se esparcen en la doctrina de todo código moral religioso.

¿Están las doctrinas de Jesús en las religiones? ¿Viven en cada uno de los que las predican y parecen seguirlas?

Cuando miramos un templo pletórico de gentes; cuando miramos a éstas con las cabezas inclinadas, los ojos bajos; cuando percibimos la emoción pintada en el rostro, el misticismo en los ojos, y que los labios murmuran con unción rezos y más rezos, queremos persuadirnos de que los rezos son oraciones que van directas al Empíreo, partiendo de corazones conquistados y fieles al Redentor; pero ¡oh vana ilusión! El sacerdote ha predicado como de costumbre, y sin la fe ascética que debiera poseer, sus palabras no alcanzan más que a raer ligeramente la epidermis, sin llegar a penetrar ni domeñar la *fiera humana*, porque ha faltado la fe que convence y que impone a su vez, y se lleva en la memoria lujo de parábolas como lujo de trajes en el cuerpo, y llamándose cristianos son anticristianos de corazón.

¿Lo dudáis? Señalad a esos individuos que pasan; van bien trajeados, son correctos caballeros, honrados, útiles a la sociedad por el trabajo de alta posición social, amantes de su patria y del país en que viven. Inquirid, inquirid con esos que habéis contemplado tan devotos y tan humildes quiénes son esos, y aquellos labios que sólo tenían amor hace un rato, os dirán con desprecio, si no con odio: «¡Puah, son judíos!».

Y he aquí el defecto, la falta capital de las religiones: hacer concebir un Ser Supremo todo misericordia, y la cristiana un Redentor que todo lo ha borrado, y que sólo ruega, como pago a su abnegación y a su sacrificio, el que la humanidad se confunda en una sola pasión: el amor de todos para todos; y los que actúan de ministros de ese Dios, los que dirigen y se apoderan de la inteligencia de sus feligreses, no alcanzan sino a hacer perdurar, con la égida del Crucificado, el odio cruel y vengativo.

¡Y para borrar el estigma basta con que un hombre de buena voluntad derrame sobre la cabeza del *paria* un poco de agua y diga: «¡Yo te bautizo en el nombre del Padre, del Hijo y del Espíritu Santo!».

Y es una vejación al Cristo que se adora, como son una herejía las joyas con que el católico obsequia a las imágenes. ¿Las necesitan? ¿Las aceptan? ¿Son de alguna utilidad? ¿Qué se quiere alcanzar con ellas? ¿Comprar la voluntad de Dios por el intermedio de un santo? ¿Sobornar a la Divinidad con tonterías de la tierra? ¡Ah! No degrademos lo único que perdura en el alma del creyente sin manchas ni sombras. ¡Comprar una voluntad! Que no otra cosa es pedir un socorro, la salud de un ser querido, por ejemplo, dando, un cambio, pagándola con una joya, aunque sea de valor incalculable. ¡Siempre la ruindad, el egoísmo y la materia, reyes y señores de la fe del creyente apegado a sus religiones!

Y al ver la marcha afirmada de tanta aberración, y al ver esa impiedad que impera en los templos en que el hombre, con una vestidura oficial, oficia y manda, y se crece en nombre del Justo muerto, habrá quienes llenos de dolor, desesperados por ver a sus hijos despreciados, y odiados, y repudiados, exclamen con ira reconcentrada: «¡Maldita, maldita sea la religión del Nazareno!».

¡Y el judío tendrá que perpetuarse enemigo constante de la sociedad que le aborrece y le deprime!...

¡Inútiles han sido, ¡oh Cristo! tu amor y tu perdón!...

VIII

Hoy sábado, 4 de mayo, había anunciados dos actos públicos sensacionales: carreras de andarines y una manifestación femenina: más de 20.000 mujeres pidiendo el derecho de votar.

La calle de Broadway quedó interrumpida durante largo rato; dos hileras compactas de individuos de ambos sexos impedían el tránsito; la policía mantenía a distancia la línea de las personas que, inconscientemente, para ver mejor, iban estrechando el espacio y dejando libre el centro de la calle.

Los andarines fueron pasando, corriendo siempre, y eran aplaudidos por sus partidarios, lo mismo los de la calle que los de las ventanas de los pisos, cuajadas de sinnúmero de curiosos.

Concluyóse esto, y a las cinco de la tarde principió a marchar la monstruosa manifestación femenina, con pendones, gallardetes, grandes lemas excitando a los mirones, y con sus bandas de música, cuyo compás llevan al andar, marchando al paso a los vibrantes acordes.

Pasan de cinco en fondo, vestidas de blanco; la mayor parte con cintas y flores amarillas; reclaman un derecho que se les niega todavía cuando se les tienen encomendados, con plena confianza, los deberes más serios: los de madre, de esposa, de niñera, de *nurses*. Y dicen con razón: «*Pedimos el voto*, porque ya nos lo han concedido cuatro Estados; lo pedimos porque somos ya un número respetable de profesoras, de doctoras en Leyes y Medicina; lo pedimos porque

ya que cuidamos y formamos el corazón de los *babies*,
y servimos para ello, con más razón serviremos para
ayudar y dirigir a esos mismos *babies* cuando sean
hombres; lo pedimos porque con nosotras están la
razón y la justicia, y lo están porque servimos para
mecanógrafas, empleados públicos, tenedores de libros, telegrafistas, constituyendo en estos empleos
una legión de millones; y pedimos además esto porque queremos que ya que hay en nosotras aptitudes
para ser útiles como hombre y trabajamos tanto o
más que él, justo es que se nos remunere de la misma
manera, y remunerarnos lo mismo es tener los mismos derechos, puesto que nos caben los mismos deberes; y si el hombre que es hijo nuestro y es nuestro
padre, o es nuestro hermano, o es nuestro esposo, sólo
trabaja ocho horas y tiene un salario superior a nosotras, ¿no es natural y equitativo que a la madre le
corresponda lo mismo que corresponde al hijo y se
la beneficie también en igualdad de condiciones?».

Todos los Estados de la Unión Americana, y cuanto gremio hay en la nación y cuanto oficio ejercen las
mujeres, estaban representados en la manifestación,
y en las innumerables banderitas que tremolaban ha-
ciéndolas flamear alegremente, se leía: *Votes for women, Welcome our cardinal Forly, Navy,* y otros lemas de los partidarios francamente decididos de ellas.

Y tienen sus contrarios, y entre éstos quizás sean
sus más numerosos y encarnizados enemigos las mujeres mismas, y no es extraño oir de labios femeniles:
*Y si llegan a alcanzar lo que piden, ¿adónde irán a pa-
rar los hombres?*

La idea, al brotar, encuentra siempre detractores,
contrarios, pues no hay una sola que al surgir a la
superficie no sea reñidamente combatida. A veces se
la encuentra ridícula, otras veces parece inofensiva,

causa risa a muchos, pero si ella es justa, si encierra
una reparación necesaria, si trae una verdad que im-
poner, descuidad, que hará su camino, y cuando los
adversarios vengan a percibir la importancia de ella,
será ya tarde, y será cuando por dondequiera los gritos de «victoria» repercutan de casa en casa, de Estado en Estado, en la nación entera.

Dicen ellas, las sufragistas: *Una revolución es una
opinión con bayonetas*, ha dicho Napoleón I; esto era
la manera de ser en el siglo XVIII; hoy se dice: *Una
revolución es una opinión sustentada con el voto*.

Mary Jhaaston escribe, entre otras, en *The Wo-
man's Journal*, lo siguiente:

*¿Qué es política? Política es la ciencia de gobernar.
Es obtener, teórica y prácticamente, que el fin de una
sociedad civil sea tan perfecto como sea posible. ¿De
qué se compone la sociedad civil? De hombres y de
mujeres.*

*¿Cuáles son los fines de una sociedad civil? Poseer
un pueblo sano, feliz, libre, sabio y desenvolviéndose
lleno de salud, felicidad, paz, confraternidad, dentro
de un territorio hermoso.*

*¿Tienen las mujeres algún interés en que esos fi-
nes puedan ser alcanzados? ¿Por qué no? Ella es la
mitad de esa sociedad civil, y es con el sacrificio y la
savia de su propia existencia con lo que vive y ha vi-
vido toda esa sociedad civil. No hay ningún compo-
nente de la sociedad civil que no sea su hijo o su hija.*

Esto es, en resumen, el programa de la mujer, cuya
victoria tiene asegurada definitivamente en cuatro Estados ya: cuestión de tiempo.

Este movimiento no obedece sólo a gentes de abajo, como pudiera suponerse; personas ricas de ambos
sexos, instruídas, prestan su concurso de una manera
eficaz, aportando fondos y haciendo actos de presen-

cia, ya en coches, ya a caballo, ya a pie; y nosotros aseguramos que vencerán, y vencerán porque en los tiempos por venir no podrá subsistir ninguna injusticia, por poderosa que sea: el progreso es la civilización, y la civilización habrá de conseguir ser la dueña absoluta de la tierra.

No por ser este país tan serio deja de hacer su chiste en toda ocasión. Preguntaba una mujer: «¿Cómo es que en la parada por el sufragio de la mujer van tantos hombres apoyando esa idea?». A lo que respondió bajito un hombre que escuchó la pregunta: «Porque si no apoyan a la mujer, al llegar a su casa la mujer no les dará de comer.»

Y por otra parte, en esta tierra del más sincero respeto a la opinión ajena, no es extraño escuchar de boca de los hombres que, sin criticarlo, ven indiferentes la cuestión del sufragio mujeril, palabras como estas, dichas con verdadera buena fe: «Quizás sea mejor, y tendremos elecciones y administración honrada, pues está probado que la mujer es más honrada que el hombre, y lo viene demostrando hace tiempo en todas las oficinas y los establecimientos públicos, ya como dependiente, ya como cajero.»

Concretada como está la opinión, hay que augurar, como dijimos al principio: la victoria es de ellas.

IX

El sentimiento público por el desastre del *Titanic* no ha cesado un solo instante, y el domingo por la mañana lo demostraba una compañía de soldados voluntarios veteranos vestidos de gala, acompañados por un sinnúmero de personas sin uniformes, de frac, llevando todos sus honrosas medallas con sus banderas enlutadas, y marchando al compás de una caja destemplada.

El cementerio que, por el barrio de Riverside, guarda los restos de las víctimas que han ido llegando, se ve constantemente lleno de curiosos que, apoyados en los muros desde donde se domina el campo del eterno reposo, contemplan silenciosos y apenados la tierra removida, que parece decirles: «Aquí están.»

¡Y cuántos ojos no habrán de humedecerse y cuánta oración fervorosa no habrá de partir de esos corazones palpitando al dolor ajeno!

....

Los niños en esta tierra son unas manzanas. Rubios, por lo regular, como un rayo de sol, y colorados como el carmín que usan, quizás, sus madres. Y son libres como los gorriones, a los que en calles y plazas se les entretiene con granos, para que no pasen hambre, sin que haya quien los espante mientras están posados; y así los niños corren, saltan, juegan a la pelota, y si estorban el paso a algún vehículo, éste es el que se detiene, y a veces hay que aguardar a que concluyan con el juego y dejen el tránsito libre; pero hay que convenir en que el niño aquí es respetuoso, es un hombre chico.

Y los cuidados al niño se extienden con mayor consideración a la mujer. «Aquí —nos decía un amigo— la mujer siempre gana.» «¿Cómo?», le preguntamos. «Hasta en el caso de que llegara a pegaros, quejaos, que aun os obligarán a pagarle daños y perjuicios.»

Esto me recordó un cuento parecido, en el fondo, que se me hizo en Haití. «Ese negro que pasa —señalándonos a un jamaicano— es un hombre blanco», se nos dijo con una sonrisita. «No comprendemos», le respondimos a nuestro informante. A lo que éste agregó: «Dadle una bofetada y tendremos dentro de poco una escuadra de hombres blancos que vendrá a defenderle.»

La mujer tiene aquí, además de un respeto sumo, una manera de ser independiente, quizás no igual en parte alguna. Cualquier empleada gana semanalmente de quince a veinte pesos, y conocemos cubanas que ganan de veinticinco a treinta. ¿Cuándo lo ganarían en Cuba? ¿Y en otras partes? Y las que se encuentran en esta situación, ¿es lógico que abandonen la tierra que las acogió en días de desgracia, las instruyó y formó, les da cómo ganar cómodamente la subsistencia hoy, por sólo volver al rincón de tierra en que se nació, y cuyo amor no se ha perdido a pesar de la separación? No, y jamás aconsejaremos el cambio de domicilio, que sería canjear una situación brillante por una de escaseces y privaciones casi segura.

El norteamericano ha sabido llevar a su hogar cuanto le hace cómodo y agradable. En una habitación, que es un pañuelo, hay sala, comedor, aposento, baño y cocina: todo a la mano, todo halagador a la vista por el aseo, el decorado y la facilidad para todo: luz, teléfono, agua fría y caliente, ascensor, calefacción independiente y a voluntad del que en ella reside, como lo es el arrojar las basuras, que se tiran por un tubo que las lleva al lugar de los desperdicios de la ciudad.

En estas líneas con que, al correr de la pluma, van llevando al papel ideas personales nuestras de aquello que se va viendo, y mirándolo a nuestra manera, tiene que haber alguna incoherencia y hay que tomarlas tal como están vestidas.

Son pequeños bocetos, apuntes todos al azar, mejor dicho, grandes manchas que servirán para conservar la idea de lo visto, muy superficialmente, en esta nación maravillosa, conjunto abigarrado de todos los componentes de otros pueblos, y que al llegar aquí quedan disciplinados, por decirlo así, a una verdadera libertad que se apodera de ellos, los dirige, los contiene y los convierte —aun conservando su nacionalidad— en una parte inherente de la nación norteamericana.

De noche las calles están tanto o mejor alumbradas que durante el día, pues en ellas, como sucede a menudo, no es la luz del sol la que se impone en ciertos momentos, sino la niebla del cielo y la niebla de la tierra, humo y vapor de las chimeneas, de las máquinas, que parecen decirle al astro rey: «Hoy no pasarás.»

La electricidad en forma de lámparas, bombillos, estrellas, arcos y cuanto la imaginación crea en objetos artísticos, sirve para decorar y atraer al público a los innumerables teatros que por dondequiera se levantan.

Sería cosa fácil citar lo que hay de museos, parques, estatuas y bibliotecas; pero sería inútil al mismo tiempo, puesto que para describirlos cual se merecen faltan lugar y capacidad. Todo vuela, y el tiempo, más rápido y más constante, va desapareciendo con nosotros, o nos arrastra, en su andar imperturba-

ble e indiferente, sin que haya fuerza que lo pueda
detener o variar.

¡Cuán gráfica la poesía de Zorrilla, *El reloj*! ¡Que
cada hora que va dando la campana es un tiempo que
fue y pasó para no volver jamás en toda la eternidad!

La atmósfera ha sido desconsiderada con nosotros,
pues hace tres días que no cesa de llover. ¡Y nosotros
que alabamos el clima por bueno y bello!

Y había que aprovechar los momentos propicios,
que eran breves para nosotros.

En el «Hipódromo» representaban una vez más,
después de más de un año consecutivo, *El Paraíso de
Alá*. No es esta una *obra con ilación*, como decía un
amigo; es una *obra con ilusión*; y las luces, combi-
nadas con cristales, reflejando todos los colores del
iris, nos han tenido entretenidos durante tres horas
largas. Músicas, camellos, elefantes, caballos, indios,
beduínos, huríes, soldados, burros, acróbatas, saltari-
nes, cuanto Dios creó ha ido pasando por el escena-
rio, hablando, cantando, saltando y chillando, según
sus condiciones; y trescientas o más criaturas, cuyos
trajes varían de color según las luces se reflejan sobre ellas, se han abrazado en distintas contorsiones,
culminando en cargas de caballería, combates, paisajes de Suiza, España, India, Italia, Egipto, que nos
presentan a los habitantes con sus trajes, sus cantares, sus desiertos y sus corridas de toros; y como fin
de fiesta, después de enseñarnos a Venecia con sus
góndolas, sus noches azulosas y sus trovadores, como
en tiempos pasados, un bosque en el que, al amanecer, van despertando y desperezándose preciosas mariposas, vuelan mujeres con alas, *mariposas de verdad*, multicolores, uniéndose en el aire y tendiendo
sus alas sutiles, que varían de tinte tantas veces cuantas la luz las baña; y se refieren sus amores, y se de-

leitan con el tibio aire de la aurora, y así entretenidas les llega una hermosísima mariposa, negra toda, aterciopelada, que les dice: «Compañeras, estáis viviendo sin cuidado; ¡huid! El bosque está incendiado. ¡Salvaos!». Y salen en rápido vuelo, y abandonan la escena, y entonces comienza el humo a invadirlo todo, y suben las llamas, y destruyen el bosque, y quedan luego ante los ojos del espectador troncos carbonizados, cenizas en el suelo; y la mariposa negra vuelve, cubriéndose el rostro con las alas, y se postra abatida ante el irremediable desastre...

Y tras este rápido cambio de decoración, la noche, que es completa, va descorriendo su velo; la luz azulosa del crepúsculo, el tinte blanquecino luego, precursor del sol, anaranjado después, y aparece al fin el radioso astro alumbrando a la Naturaleza. Un lago, una cascada, ninfas que duermen, gnomos que se levantan, un dios que gobierna, coros que le acompañan, y la Naturaleza despierta también, rompiendo a su mandato la ruidosa cascada, despeñándose de las rocas que cierran el horizonte agua verdadera. De lo profundo del agua salen ánades que se refocilan en el líquido agradable, y por debajo de la superficie del tranquilo estaque va alzándose un estandarte que traspasa el agua, y detrás de éste aparece una lancha con cuatro ninfas, y otras ninfas, y el canto vibra, y el agua murmura, y la música lanza sus acordes con entusiasmo, y las luces destellan, cambiando constantemente de tono, predominando el rojo, el azul y el verde, y cae el telón en medio de atronadores aplausos de un público numerosísimo que, tarde y noche, durante cuatrocientos días, acude incansable a ese espectáculo, deleite de los sentidos.

Y aunque sea fuera de este lugar, señalemos algo muy trascendental que marca cuál es el carácter de

este pueblo: todo para él es natural. Los divorciados,
por ejemplo, por regla general, no se distancian por
la separación; siguen siendo amigos; los *recasados*
con otros y otras pasean y se divierten juntos, y son
amigas las esposas actuales de las esposas que fueron.
¡Admirable estado de ánimo que caracteriza una manera de ser ordenada hasta en las pasiones del corazón!

No es esto decir que es un pueblo sin defectos; no
lo conozco sino para juzgarlo superficialmente; no
tengo derecho a más, y quiero encontrar en las tierras que yo cruce más lo digno de alabanza que lo
acreedor a censuras.

Defecto es la no conformidad del proceder ajeno
con nuestro pensamiento y nuestro proceder presente.
Agrada a uno lo verde, place a otro lo azul, y por esa
diferencia de apreciación nos creemos con derecho
para señalar un defecto, y defecto nos parece lo que
a otro agrada y a nosotros no, y lo criticamos porque
muchas veces no lo sentimos o no lo comprendemos.

Juzgar al pueblo norteamericano por sus edificios
particulares, por sus monumentos, por sus parques,
sería juzgarlo como el imitador de otros pueblos y de
otras naciones; no; debemos mirarlo y juzgarlo por
su *helpself,* por el carácter que se ha creado, asimilán-
dose los demás que, al pisar tierra de la Unión, adquie-
ren su acometividad, su tenacidad, su laboriosidad, su
respeto a la mujer y al niño, su cariño a los animales,
su habilidad para las invenciones, desde la pequeña
parrilla hasta el *pulman;* por sus osadías como el *sub-
way* y el puente de Brooklyn; carácter que quizás sólo
posea el inglés, a pesar de ese aspecto glacial, y que
envuelve como en una aureola de gloria y propia satisfacción al continente americano entero.

La estatua de la Libertad es el símbolo, en la ciu-

dad metropolitana, de la Unión Norteamericana; esa
figura la simboliza para mí más que su Hudson y sus
lagos, su Niágara y su Mississipí.

¡Adiós, tierra de prodigios; adiós, tierra nueva!
Ahora... ¡a la tierra vieja!

X

A las diez de la mañana, 9 de mayo, sueltas las
amarras, recogidas las escalas, baten las hélices del
vapor *La Provence* las turbias aguas del río Hudson,
y lentamente primero, y más rápido después, casi llevando el compás de la orquesta que toca una marcha
en el salón biblioteca, se va separando de la ciudad,
envuelta por completo en una bruma negruzca que
sólo permite divisar, como especies de fantasmas, los
altos edificios que van esfumándose y quedando detrás.

El muelle está cuajado de gente, los sombreros y
los trajes de las mujeres semejan una paleta cuyos
colores están puestos en montón y sin concierto; los
hombres se descubren y agitan los sombreros; los pañuelos parecen blancas palomas que revolotean, y un
conjunto de unas dos mil personas, más tristes que
alegres, dan a sus afecciones un adiós sincero, y con
besos que les envían con la mano libre, desean con ansia a los que se alejan un viaje próspero y feliz.

El vapor pita al pasar por delante de los otros buques, o al lado de los que suben, o marchan, o entran,
y al mismo sonido responden los otros, y las banderas
se arrían e izan en señal de cortesía.

La línea negra de la niebla se acentúa y forma un horizonte compacto, muy obscuro en su base y lechoso en su cúspide, y los chorros de vapor que lanzan centenares de chimeneas de las mil industrias que contiene el enorme vientre de la ciudad, van elevándose como copos de algodón que arrastra el viento en su loca agitación. Algunos se detienen, y al acumularse, diríase que son montañas el negro carbón de la brumosa atmósfera de abajo, y lo blanco de arriba montón de nieve que ha quedado aglomerado en la cima, y que al destacarse marcan siluetas de cúspides en el punto en que un tinte gris, con tendencias luminosas, señala la separación de la tierra de lo infinito.

Ya se pierde de vista todo, nos encontramos dentro de una obscuridad completa, hay que tener cuidado con los buques que podamos hallar al paso, y los fuertes sonidos de la sirena de la máquina van dando el alerta necesario.

Entramos en la biblioteca, salón de reposo y centro musical, y el aspecto cambia. Sin ligera y constante trepidación nos creeríamos en tierra: hermosísimas orquídeas, rosas admirables y claveles blancos y rojos alegran el departamento, llenan de perfumes el salón y disipan el olor de las aguas salinas que, batiendo los costados de *La Provence*, envían su hálito a todos los lugares del buque.

Vamos rápidamente, el mar nos abre paso sin irritar sus olas, y de momento en momento nos besa el sol, aunque sea por intervalos, como si la Naturaleza nos saludara augurándonos un término pronto y feliz.

Las pequeñas olas se irradian al pequeño choque de unas con otras, y van formando ligero encaje de espumas que nos dice: *Pasad, pasad*, quedando confundido con la ancha estela blanquecina y verdeazulosa que, al romper de las hélices, es como ruta que tras nosotros deja abierta violentamente la proa del buque dividiendo las aguas tranquilas en estos momentos.

Llega la noche, y obscurece totalmente; no se ven estrellas, y sólo en el horizonte una pequeña franja se mira, como línea de claridad, dando paso a una mancha menguada en tamaño y en luz.

La vida igual, sin nada nuevo, va corriendo lentamente para los que anhelamos la tierra como nuestra *tierra prometida*. El jueves, pasado mañana, siete días de viaje, pisaremos tierra francesa.

Por la noche víspera de la llegada, función de gala, champaña en la comida, pequeños obsequios a los pasajeros y baile más tarde.

Bailóse un vals, y luego otro, y en esto la música toca una especie de *two-step*, saliendo a bailar una *miss*, actriz, según se dijo, y cuyo baile, de movimientos más o menos exagerados, no era verdaderamente danza para un lugar en que el respeto mutuo es signo de educación. Salió la pareja sola, y quedábase única, cuando se le ocurrió a uno de los caballeros presentes sacar a bailar a una jovencita chilena, dejando a la anterior pareja que bailase como quisiera, y bailando ellos un vals despacio. A poco rato, a una parada, vino el padre de la niña, llamóla junto a su madre, y seguramente le hizo indicaciones razonables, y no salió más.

A poco cesaron de bailar la *miss* y su acompañante; ella pasó al interior del salón, y a su vez volvió y se sentó. Susurróse que el capitán del buque, advertido por alguien, la había llamado al orden, y así debió ser, porque le oimos decir: «¡Si este es un salón público!». Grave error de la actriz, pues una reunión de personas decentes, aunque desconocidas entre sí, y en ún vapor, no convierte en salón público ninguna

parte del buque; la mayoría halló bien hecho lo sucedido, y otros callaron, no habiendo disculpa para los
que habían cometido la falta; la frialdad invadió a los
concurrentes, fuéronse marchando, y agregó el direc-
tor de la música: «Esa pareja nos ha echado a perder
la noche.»

El día de llegada, muy de mañana, estábamos sobre cubierta: había ansia de ver tierra. La víspera, sobre las diez de la noche, la luz de un faro de Inglate-
rra, punto de mira para los buques que han de pasar
por el canal de la Mancha, viniendo de América, nos
indicaba, según los tripulantes, que a las once de la
mañana siguiente estaríamos en el Havre, y así fue.

Aquel día, que amaneció frío, como a las seis y media de la mañana, hubimos de refugiarnos en la sala
de conversación, biblioteca y salón de baile; un empleado aseaba los muebles y barría la alfombra. A
poco apareció otro pasajero, sentóse a un lado, y
abriendo un libro empezó a leer; era un breviario.
Luego llegó otro, y otro más; eran tres sacerdotes católicos del Canadá que se trasladaban a Francia. Im-
provisóse un pequeño altar, colocóse en él un diminu-
to crucifijo, encendieron dos velas, y preparóse uno a
decir misa. Sonreíamos viéndonos en una especie de
iglesia *ad hoc*, y nos pusimos a seguir con curiosidad
las ceremonias de un culto que quizás hacía medio siglo que no habíamos vuelto a contemplar.

Fue una misa sencilla, y el sacerdote ayudante ofi-
ció a su vez, y después de éste el otro, de modo que
siempre sonriendo, nos dijimos: «Europa nos saluda
dándonos tres misas seguidas.»

La campanilla, al alzar, sonaba floja y brevemente,
como con timidez; el criado no interrumpía el barri-
do, y concluídas las misas, los tres sacerdotes arrodi-
llados rezaron largamente en silencio.

Antes de verse el faro, la víspera, el cielo estaba cubierto de luces por Oriente, una estrella rompía la gasa obscura, y otras estrellas más lejanas parecían un cortejo de lucecillas acompañando a una luz soberana...

¡El Havre! *La Provence* atraca lentamente, el viento y el mar aliados se baten contra los muelles, cubriéndolos de espuma, y las banderas flamean con fuerza. El vapor tarda en atracar. Se aglomera en tierra porción de gente, dando nota alegre por la diversidad de los colores en los trajes, y se experimenta una satisfacción que sólo conoce el que ha pasado días en el mar, sin más horizonte que la inmensidad.

Porción de chiquillos tienden las manos pidiendo, y piden sin cesar, y allá van monedas de cobre a esas criaturas que se atropellan por cogerlas, dando al mismo tiempo una triste idea, y este espectáculo nos recuerda la conversación tenida por un puertorriqueño, ya de edad, que decía esta mañana en el vapor: «El pueblo que se acostumbra a mendigar; el individuo que cuando se llega a un almacén, como en París, está sólo atento a los coches que llegan, para precipitarse a abrir la portezuela del carruaje, con una librea puesta, gorra en mano, y luego tender la diestra para pedir dos centavos, está corrompido y está degenerado.»

No diremos tanto, pero es verdaderamente triste y vergonzoso que un pueblo cuya historia no cabe en las páginas de ella, por sus grandes hechos, se permita rebajarse hasta el extremo de convertirse en un sirviente rastrero. No; esos que mendigan y exigen el *pour-boire*, no caracterizan al pueblo francés; son el detritus humano que fermenta en todo conglomerado nacional, degenerados pacíficos que no sirven para otra cosa, incapaces de lanzarse a ninguna lucha y

prestos a acudir a cualquier victoria, para aprovechar-
se de los beneficios obtenidos.

El ejemplo de aquellos niños gritando en el Havre:
Un petit sou sur la quai es el grito que repiten esos
mercenarios, perdida la dignidad de hombre, para pedir después de cualquier servicio, el más obligado o
el más efímero, un *pour-boire*, perdonable en los niños, pero asqueroso en los hombres.

El tren nos lleva en tres horas a París; a nuestro
paso van quedando, a derecha e izquierda, campiñas
feraces, tierras preciosamente cultivadas, caminos bien
conservados, arroyos bulliciosos, hermosas quintas, y
por fin el Sena, que en sus curvas y recurvas atestadas
de embarcaciones nos indica que ya llegamos, y que
la ciudad incomparable está ya allí con su agitación,
sus edificios, sus parques, sus museos, y mejor que
todo esto, con su historia vibrante en el corazón por
una revolución cruel, sangrienta y justa, tempestad
humana, al igual que los huracanes de la Naturaleza,
destructora y devastadora, pero fecunda también:
¡París!

XI

Hay que detenerse y esperar. El vaivén de las gentes, los automóviles y los coches públicos; los grandes carros y vehículos; los establecimientos con sus
mercancías brillantemente presentadas en las anchas
aceras; los carretoncitos de verduras; el traje de los
soldados; el vestido de tanta mujer que no cesa de
cruzar, detenerse, charlar, reir, luciendo colores ale-

gres, como es alegre el movimiento sin cesar; la temperatura templada, y en cada esquina, por dondequiera, flores y más flores, disponen el ánimo a la contemplación de una acuarela inmensa, sin fin, que se hace desfilar ante nuestros ojos, fatigados de tantas visiones grandes y pequeñas, todas ellas bellas, todas simpáticas.

Juzgar es difícil; apreciar lo es, por consecuencia, también de modo tal, que las impresiones que se reciban habrán de irse transmitiendo al papel sin orden ni concierto; notas de colores en una paleta desordenadamente preparada por un artista más desordenado todavía. Así quizás habrá alguna fidelidad en lo que se relata.

La casualidad me hace comenzar por una fiesta religiosa; casualidad que podrá creerse traída adrede, y que no es sino el hecho natural del correr de las horas, y por lo tanto, del tiempo. Domingo 19, se festeja a Juana de Arco en la iglesia de San Agustín, cerca de donde vivimos; un aniversario del martirio de la célebre doncella de Orleans.

Desde la víspera, los balcones de los edificios particulares se ven adornados con faroles de colores y banderolas blancas y azules, amarillas y blancas, acompañadas de la bandera nacional francesa, quizás por no poderla eliminar. Los pendones blancos llevan un escudo con dos flores de lis, y en el centro una corona sostenida por una daga perpendicular; es la monarquía adoptando cualquier forma que le permita hacer alarde de sus creencias y de su fe, encarnándola en una forma religiosa que le sirva de escudo para encubrir su amor realista.

La no monumental estatua de Juana de Arco, frente a la iglesia de San Agustín, en una pequeña plazoleta, se ve cubierta de coronas y ramos de flores blan-

cas: «A Juana de Arco», «A la virgen de Orleans», y en
la puerta del templo se vende una florecita artificial,
blanca, de cinco pétalos, que con su alfiler, sirve para
prenderla sobre el pecho hombres y mujeres, indicando con ello que son afines de ideas, grandes y chi-
cos, caballeros y plebeyos, los que la llevan puesta al
entrar en la iglesia.

Allí, en varios altares, se dicen misas a la vez; allí
están las bóvedas adornadas con las simbólicas banderitas o pendón en honor de la heroína, pero indicando monarquía; allí resuena el órgano con magníficas notas profundas de bajo; allí repican las campanas con majestuosa languidez, voleadas, lanzando
las notas como canto de arrepentimiento y de dolor;
allí multitud abigarrada en silencio, ora, mueve los labios, dirige los ojos a lo alto con intención de ver a
los cielos, alcanzando, en vez de lo azul y lo diáfano,
lo obscuro y lo duro de la piedra, y allí sonreímos ante
esa manifestación de tardío reconocimiento a la infeliz criatura que, inflamada de amor a la patria, supo
salvar un trono, un rey y su país, pagando con su existencia su abnegación y sus proezas.

Con los sonidos armoniosos que repercuten en las
columnas, que recorren el templo y se escapan por las
ojivas; por entre el incienso que en nubecillas azulosas va a besar los cristales de colores de las altas ventanas, nos parece ver vagar a la virgen inmaculada,
moviendo dolorosamente la cabeza, llevando sonrisa
triste en los labios, y repitiendo, como el Cristo, la frase sublime de perdón, al mirar a su pueblo enaltecer-
la, y mirando cómo la toman de égida, hoy, los mismos que ayer la condujeron a la hoguera, después de
haberla querido infamar en infecto calabozo, y que
no contentos con ennegrecerla llamándola hechicera y
prostituída, carbonizáronla, creyendo que hubiera per-

manecido negra siempre, sin pensar que convirtióse
en blanca ceniza, como eran blancos el alma y el cuerpo de la doncella.

Y pareciónos oir: «Perdónalos, Dios mío», como
supo pronunciarlo cuando las llamas enrojecían sus
carnes, por mandato y fallo de esta misma Iglesia y
esta misma religión que la santifica hoy, llamándola
santa y excelsa.

Lo que se bambolea, lo que se va, necesita salvar-
se a toda costa, y el sentido perverso del obispo Cau-
chon perdura de manera más utilitaria en los modernos días, y cuando hay que estimular una creencia de
la que se dicen dueños, desnaturalizando las doctrinas
del que murió en el Gólgota, y cuando las entradas
disminuyen, cuando los santos milagrosos se van des-
acreditando por el uso, hay que renovarlos, hay que
dar brillantez a otras ferias religiosas, como cada pueblo tiene sus ferias animadas, creando santos como
San José de la Montaña y vírgenes como la de Lour-
des, y hoy la santa virgen Juana de Arco.

Un folleto anónimo, deteriorado y carcomido, escrito en inglés y titulado *The heart of humanity* (1),
trae en la primera línea de la introducción esta frase:
No hay nada más sublimemente estúpido que el ce-
rebro de ese animal llamado hombre.

Pase, pues, la expresión, y *siga el mundo navegan-*
do sin cesar en el piélago inmenso del vacío.

---

(1) Por capricho que no explica el autor, se recomienda
que, en caso de traducción, se conserve en idioma inglés el
título de su folleto. Lo llamo anónimo porque el mal estado
de la primera página ha hecho desaparecer el nombre del
autor.

XII

Por lo que se ve, por lo que se nota, esta nación es la República más monárquica que existe; podría decirse que es una República por un cúmulo de accidentes y circunstancias. Los monumentos, las estatuas se suceden, se acumulan, dando la nota de ese contrasentido, que lo fue quizás en todo tiempo, lo cual ha permitido las transformaciones que, unas tras otras, han conmovido a una y otra generación.

Mirad a los que pasan, fijaos un poco nada más en los caballeros que desfilan, y notaréis que hay un sinnúmero de ojales con el adorno indispensable, *chic*, que da prestigio: la cintita de una condecoración, y las hay múltiples, tantas, que se ven verdes, moradas, azules, rojas y hasta blancas. ¿Habrá algunas más?

Y hay que andar y moverse; el tiempo tiene que ser aprovechado; medios de locomoción no faltan, coches y automóviles se suceden, y permiten, sin exageración, gracias a las tarifas *taxímetros*, pagar lo que es justo haber corrido.

¡A la plaza de la Bastilla! Antes que a otros monumentos hay deseo de llegar al lugar que fue asiento de la histórica fortaleza, de la cual no quedó piedra sobre piedra el 14 de julio de 1789, suceso que determinó, más que ningún otro, la destrucción de una monarquía secular y advirtió a los poderosos de entonces que había un poder superior al de las testas coronadas: el poder del pueblo.

¡Irrisión de la suerte! Yendo hacia la columna de bronce que conmemora el lugar en que se asentaba la fortificación, a despecho del genio de la libertad que corona el monumento, en grandes letras doradas, en uno de los aparadores de una de las tiendas que se encuentran al paso se lee este anuncio: *Uniformes y libreas.* ¡Qué triste contraste, y qué triste es recordar aquel momento heroico y brutal de un pueblo cansado de sufrimientos y vejaciones, haciendo añicos todas las libreas, para convertirse en hombres libres, y ver cómo vuelve a imponerse la librea por gusto y por servilismo!

Hay que tener presente que aquí hay una población flotante; tipos incapaces, estamos seguros de ello, de las grandes jornadas revolucionarias, y que son los descendientes y herederos de la sordidez de los que, cuando el tambor tocaba a rebato en los arrabales, sabían perfectamente ocultarse, para aparecer, con la habilidad de la zorra, a recoger el botín que dejaban arrojado los soldados de la libertad: la ley de herencia es ley fatal.

Aquí, en la plaza de la Bastilla, hay que sentir reproducirse la algarada de los revoltosos, oir el eco de las detonaciones, el chillerío de las mujeres, más excitadas que el hombre mismo, y con el polvo que levanta el trozo de muralla que se derrumba, subir con el torbellino hasta las nubes, al grito de victoria de la sangrienta jornada.

¡Qué sentimientos habían de palpitar en aquellas almas que, fieras domeñadas y enjauladas ayer, se batían hoy, rotos los hierros, libres, y lo que es mejor, dueñas de su voluntad y dueñas de energía y valor desconocidos!

¡Populacho o no populacho, hombres crueles y sin consideración con el vencido, nosotros os saludamos con respeto: sin vosotros, aun perduraría el mundo en el mismo ambiente de tiranía!

Hoy la crítica histórica, con calma, lejos de aquellos momentos especialísimos, se pone a juzgar los sucesos, sin fijarse en que no se puede pedir conducta generosa al animal habituado a recibir brutal castigo y a perecer de hambre, que en su desquite haga otra cosa más que satisfacer sus instintos desencadenados, que no se educaron ni dirigieron a la bondad y al bien: destruir, aniquilar, eso tenía que ser la norma de sus actos...

....

He ahí el Sena. Decir el Sena es como si se nombrara a París, con sus puentes y sus vaporcitos yendo a todas partes, y reconstruir en sus orillas el pasado, siguiéndolas de la misma manera que se arremolinan las turbias aguas, los tiempos de mosqueteros, guardias, grisetas, con sus pendencias y sus amoríos, sus duelos y sus raptos.

Y de pronto, ¡el Louvre! Y paso a paso, muy despacio, miramos piedras, balcones y estatuas; contemplamos las altas paredes, pisamos sus patios, leemos los nombres esculpidos sobre las puertas de los pabellones, y nos parece presenciar el arremolinamiento de nobles, de soldados, de todo el cortejo de las monarquías francesas, comenzando por la época feudal y concluyendo en la Revolución. No es posible describir a vuelapluma cuanto hay de valor en el palacio; pero apoyándonos en uno de los muros del patio, cerrando los ojos, se recrea uno dejando que la imaginación vague libre en los tiempos que fueron, y seguimos así el desarrollo de los acontecimientos; vemos a Catalina de Médicis casando a su hija Margarita con el bearnés Enrique IV; obtener del rey Carlos IX, su hijo, el asesinato de Coligny, y dar la orden de la tremenda noche de San Bartolomé, y evocamos a Luis XIII y al soberbio Luis XIV, y rebullimos con todos, lo mismo con el hábil cardenal Richelieu que con el sórdido Mazarino...

¿Y no se nos aparecen d'Artagnán y Treville, y aun no nos permitimos fantasearnos con Athos, Porthos y Aramis, siguiendo al gran novelista Dumas?

Y en aquellos patios en donde crecen plantas, y en que un sol de primavera baña a pájaros, niños y mujeres, y en que juega el verde del césped con el aire transparente, nos parece ver llegar de incógnito a Versalles, seguido de numerosa y brillante escolta, a Guillermo I de Alemania, y llegar al galopar de sus monturas, vencedor en la terrible contienda de 1870, y al resonar sobre el duro granito el herrado casco de los caballos de guerra, detenerlos de pronto ante el arco en que el primer Imperio coronó, con una Fama arrastrada por los genios y distribuyendo palmas, a los victoriosos, y sentirse sobrecogido por lo bello ante el espectáculo magnífico de pabellones, estatuas, monumentos, representando a la nación rival durante las monarquías que fueron y durante las repúblicas; y ante tanta historia gloriosa acumulada, tantos acometimientos sobrenaturales perpetuados en bronces y granitos, él, cargado de laureles, él, el implacable, doblegado por las victorias de otros héroes y conquistadores como él, conmoverse respetuoso, y en el fondo de su alma sentir como que brota un entusiasmo sagrado, inexplicable, y del corazón un canto de fraternidad guerrera, que se trasluce al exterior sólo por mayor severidad en el rostro y mayor impasibilidad al desandar a marcha desenfrenada el camino, para retornar al cuartel general en Versalles...

XIII

¡Napoleón I! *Je desire que mes cendres reposent sur les bords de la Seine, au milieu de ce peuple français que je tant aimé.* Pudo haber dicho: «quiero»; su voluntad en el «deseo» era una orden, y aun después de muerto él, había de ser obedecida y cumplimentada: tal fue su prestigio y tal su autoridad, impresa en el corazón de sus conciudadanos.

La crítica de los unos, cosa fácil de juzgar a distancia y después de la realidad sucedida; la alabanza sin límites en los otros, amor que subsiste a pesar del tiempo transcurrido y a pesar de la desaparición del ser adorado, hacen que el amor del Emperador —título que no podrá serle arrebatado jamás— sea llevado y traído en libros y periódicos, en discusiones y en conferencias, denigrando y ensalzando al que fue ayer árbitro de las naciones.

¿Qué vale una vida? ¿Qué mérito ha tenido una existencia? No es la historia escrita la que da títulos suficientes para apreciarla, pues en la narración de los acontecimientos que se sucedían vertiginosamente, sin un minuto de tregua, no se hace más que relatar, y al lector le cabe ir evolucionando en sus reflexiones, según va encontrándose más lejos de las victorias y de las catástrofes. Para los reflexivos, para los estudiosos, podrá bastar ello; pero para aquilatar cuánto fue el entusiasmo del ayer; para comprender cómo un hombre saliendo de la nada pudo fanatizar a una multitud, hasta llegar a obtener de ella todos los sacrificios imaginables; para darse cuenta exacta de cómo esa multitud, arrebatada, se lanzaba a la muerte, no hay más que ver el culto que se le rinde aun hoy; no hay más que seguir a esa muchedumbre que de diez de la mañana a cinco de la tarde, todos los días, con la cabeza descubierta, pintados en el rostro la curiosidad y el respeto, va a inclinarse ante la tumba de los Inválidos.

Ingleses y españoles, americanos del Norte y del Sur, alemanes, rusos, turcos, unidos a franceses de todos los departamentos, pasan, circulan, se detienen, y una y otra vez, apoyándose en la balaustrada de mármol que corona la cripta, quisieran penetrar por entre el granito rojo que encierra el cadáver del Emperador, y mirar su semblante; y habrá más de uno que sentirá latirle el corazón con fuerza, contemplando las doce figuras colosales, como centinelas alrededor del sarcófago, que simbolizan doce grandes victorias, y las cincuenta y cuatro banderas conquistadas en Austerlitz.

¡Y el cuartel de los Inválidos y el templo de San Luis, comenzado por el más soberbio quizás de los reyes franceses, Luis XIV, sirviendo de trono de gloria al hijo del pueblo, soldado aventurero que se coronó por su propia mano, convirtiéndose en heredero de la corona de Carlomagno!

¡Vicisitudes de la vida! ¡Y cómo no ser así si, a pesar de llevar en las sienes la corona imperial conquistada con su espada, lo que hacía era esparcir por todos los ámbitos de Europa las ideas democráticas que el pueblo francés había reintegrado al hombre!

¡Sus soldados! ¡Sus franceses!, como más de una vez había de decirse. Y si bien vivió, dominó y gozó con ellos, a ellos refluían las ventajas de la victoria con la labor económica, la importancia industrial y comercial, las bellas artes, la literatura y cuanto constituye la labor de un derecho poderoso y grande.

Para el pueblo francés no hay más que un campo luminoso, que comienza en Jemmapes y concluye en Waterloo. ¿Qué le importa lo demás? Así lo siente, así lo cree, y de aquí el culto constante al dios, que irá haciéndose más grande cuanto más vayan avanzando los tiempos; y cuando la tradición, entremezclándose con la historia, borre las manchas del hombre, haciendo perdurables únicamente los resplandores de sus triunfos, quedará creado un hombre-dios, a quien se elevarán oraciones en los días de conflictos patrios, como se dirigen hoy al «Dios de las Batallas», al «Dios de las Misericordias» y a «Nuestra Señora de las Victorias».

La tierra fue fecundada por las balas de sus cañones surcando los campos en vez del arado, y no fue inútil para el mundo la sangre francesa regada por doquier, y esa sangre formó una masa compacta, se amalgamó de tal manera, que con una sola fe hizo que desde el *sans-culotte* que quemó un trono y tronchó una cabeza real hasta el aristócrata fugado al extranjero, reconstruyeran nuevo solio, crearan nueva dinastía y lograran una patria única e invariable: Francia.

Allí duerme el héroe bajo bóveda dorada; un sol que se pone destella desde lejos en la cúpula; a un lado se destaca la atrevida Torre Eiffel, como gigantesco soldado de la Guardia, centinela de la tumba; y la aureola de luz que se esparce en la atmósfera, a los últimos rayos del día, diríase que es como reflejo del cuerpo que bajo el granito envía al exterior fulgores de su gloria, que es gloria de la Francia.

El Emperador legendario hará imperecedero, en el tiempo y con el tiempo, en el corazón francés, el nombre del obscuro oficial de artillería que, comenzando soldado en Tolón, se consagró mártir en Santa Elena: Napoleón.

Y en el andar de los siglos se le disputarán y le adorarán en la humanidad, si juzgamos por lo que actualmente sucede, y habrá una divinidad más en el cortejo de las imágenes ante las cuales se cae de hinojos y se reza.

¡Cristo, como el Dios que descendió a la tierra; Napoleón, como el hombre que ascendió a los cielos!

XIV

¿Quién corre por aquella galería que, mirando a la ancha plaza, comunica entre sí las dos torres de perfecta arquitectura ojival? ¿Qué fisonomía es aquella que asoma siguiendo los saltos de una gitanilla que retoza con una cabra? Fijaos en esa iglesia cuya fachada adornan estatuas de santos y de reyes, de cristos y de vírgenes; mirad bien esas ojivas, contemplad las vidrieras, oíd las campanas que en este momento tocan; mirad las dos torres cuadradas, y veréis surgir una cara conocida que grabó huella simpática y de poesía en vuestros corazones: Cuasimodo.

Y luego dejad que la fantasía de vuestra alma, vagando por el mundo de los recuerdos, viva en el gran poeta del siglo, Víctor Hugo; seguidle en su novela, volved a la juventud, y tomad por real lo que la soñadora fantasía encarnó en las piedras de *Notre-Dame de París;* sentid las baldosas de la calle, calientes aún con los restos de la hoguera que consumió el cuerpo

de Esmeralda; escuchad en vuestros oídos el grito de
angustia que parte de lo alto, y fijad los ojos en aquella gotera en donde se crispan los dedos de un hombre que cuelga sobre el vacío; contemplad aquella faz
lívida que retrata la desesperación; seguid su ropa talar rasgada y flotando al viento; ved cómo las fuerzas se agotan; adivinad las palpitaciones de aquel corazón desgarrado por una pasión ardiente; leed la
crueldad de aquella alma egoísta, prefiriendo el crimen a la ajena posesión, y seguid la trama del drama,
y llegando al último acto convertido en tragedia y superior al acto de justicia que se ejecuta, se os escapa
un ¡ay! de terror; os cubrís los ojos con las manos
y volvéis la cabeza, para no ver el montón de huesos
y de carnes deshechos sobre el empedrado de la plazoleta de la iglesia del arcipreste Claudio Frollo.

Y ahora, ¿se puede describir lo que todo el mundo conoce? Figúrese el lector aquella mole de piedra
cincelada; en cada hueco, una imagen o una estatua;
sobre cada puerta, un grupo escultórico; en el interior, cinco naves de puro estilo gótico; junto a cada
altar, la sepultura de algún personaje recibiendo luz
por las admirables vidrieras de colores, de trabajo exquisito, y luego éntrese en la *Sacristía del Tesoro* y
contémplese una custodia, sol de rayos cuajados de
brillantes en la semiobscuridad, y que se ostenta como
una estrella de primera magnitud. Allí están báculos
de oro, vinajeras preciosas, regalo de los Napoleones
primero y tercero, cuando el bautismo de sus infeli-
ces herederos; un castillo de oro que se dice del tiempo de San Luis, y que se usa hoy, una vez al año, en
celebración de la fiesta de la Adoración Perpetua; la
roja capa *cesárea*, con magníficos realces de oro, que
usó Napoleón el Grande en la ceremonia de su coro-
nación; las ricas vestiduras sacerdotales que donó el

Emperador para dicha fiesta; reliquias, capas pluviales, mitras, incensarios, candelabros, todo de valor incalculable, cuidadosamente guardados en armarios bien cerrados en una sacristía abovedada con puertas reforzadas que se cierran con grandes cerrojos y barras de hierro después que entran los visitantes, y que no vuelve a abrirse sino en el momento preciso en que salen.

Y descartando el valor artístico y el recuerdo histórico de algunas de esas prendas, permítasenos una reflexión, que no será nuestra solamente, y que es sincera en el corazón de todos. ¡Cuánta pedrería acumulada en un homenaje y adoración platónicos a un Dios de amor y de caridad infinitos, que habrá de sentirse humillado y herido —si fuera posible juzgar a la Divinidad con el limitado cerebro humano— al ver que por la *avaricia de atesorar* existe la gangrena social, dejando caer al abismo, por falta de socorro, a criaturas que pudieran y debieran ser defendidas, y que al fin son víctimas de la prostitución por el hambre.

La humanidad no se desbasta totalmente, y se conserva aún tal como fue, tratando de elevar los ojos al cielo, a un Dios espiritual. El alma cartaginesa y el dios Moloch continúan adorados en la tierra, evolucionando también a su manera; ya no apetecen las víctimas humanas; les basta con sus despojos: el oro.

En medio de ese tesoro, en medio de tantas piedras preciosas, hay, en uno de los armarios, algo sin valor material alguno. No brilla a los ojos con los esplendores del metal, no deslumbra con las facetas de las piedras preciosas, y vale más, mucho más que los ornamentos sacerdotales y que las pedrerías, y conmueve de manera más sensible al corazón que el manto recamado del Emperador y que los tallados crucifijos. Una vestidura sacerdotal, obscura, desgarrada y

manchada de sangre: las balas la agujerearon en 1848.
Batíase la gente en las calles de París; las barricadas
levantadas por doquier eran una protesta armada contra el reinado de Luis Felipe, y la muerte apoderábase
de los habitantes de la gran ciudad, sembrando la de-
solación entre hermanos. Un sacerdote, un arzobispo,
verdadero discípulo del hombre sublime que murió
perdonando hasta el último instante, abandona las
comodidades de su palacio, desprecia los consejos de
los egoístas, y va solo adonde el deber y la caridad lo
llaman; y con la cruz en alto, levanta igualmente la
voz para detener el rudo batallar en nombre del que
fue todo amor, y el plomo, homicida e indiferente,
hace caer sobre las piedras de las barricadas a un verdadero ministro cristiano, hundiéndolo en la nada,
pero honrándolo con rayos de gloria y de santidad.

Hay también en *Notre-Dame* un cuerpo que reposa
tranquilo, y si las almas pueden sonreir, la suya debe
sonreir satisfecha cuando ojos que le comprendan se
fijen en su sepulcro y contemplen el mármol que le
representa cayendo moribundo: *Sea mi sangre la última que se derrame*, fueron sus últimas palabras, es-
culpidas en su losa funeraria, al caer por las balas de
los soldados de la Comuna. Hoy respetados, considerados y amados estos dos cristianos, mañana serán
elevados a la categoría de santos.

¡Cuán difícil les es a las religiones comprender que
la abnegación y el cumplimiento del deber son humanos y no tienen nada de santidad!

Y después de sentir con esos *santos*, junto a una
columna, una pequeña estatua de mármol, sobre un
pilarcito, con un casco y armadura, y levantando el
brazo derecho armado de una espada, sirve de recla-
mo a otra *santa* que, en pago de un deber patriótico,
fue sacrificada en la hoguera por el fanatismo y la

monarquía: Juana de Arco. En un cepillo un letrero dice: *Limosnas para erigirle una estatua en la Catedral.* ¡La acusación de hechicería por los resultados que obtuvo por su voluntad enérgica y el amor a la patria fueron el pago de sus triunfos, incomprensibles para los que sólo piensan que lo grande viene de lo alto y que el Altísimo está al servicio de las hormigas que pululan acá abajo!

«Nuestra Señora», *Notre-Dame,* pudiera decirse que es el arca en donde se encuentra el pasado de este París, tan lleno de sucesos, y quizás le toque también ser arca del porvenir. Se nos dice que en dicho templo hay reservado un puesto de honor a la familia Naundorff. ¡Misterio que se mantendrá siempre obscuro! No valdrán pruebas, ni las hay; no bastarán opiniones; no importarán documentos ni parecidos; todo será inútil. Los descendientes de Luis XVI y Luis XVII, el niño del Temple, no prevalecerán jamás, aunque hubiera pruebas irrefutables. Es la lucha de la justicia social entre los Borbones actuales y los Borbones que pudieran ser un día; estará por medio el valladar más insuperable y fatal: el orgullo, la vanidad, el rango, los títulos, el dinero. ¡Fuiste y no eres; estás en la sombra y yo brillo: muere!

XV

El reposo de los que fueron tiene en París importancia verdadera; y este París, mezcla de tantas contradicciones, rinde a la muerte un culto respetuoso y sincero. La costumbre de descubrirse ante el cadáver que se conduce no se ha perdido, y es preciso entender que es este un deber interno de cada ciudadano, pues desde el pillete que salta y corre hasta el trajeado caballero que va en coche, llevan la mano a la gorra o al sombrero y se lo quitan; y este *adiós* al que ha sido debe ser más apreciado aquí que en otras partes, en una población de tres millones de habitantes, moviéndose sin cesar de un lugar a otro, faltándoles tiempo para llegar a puntos muy distantes los unos de los otros.

El nombre del *Père-Lachaise* es el que despierta en la imaginación desde el momento en que la idea de visitar esos recintos de descanso nace en nosotros; y es ello natural y justo, y no sería posible haber residido en esta capital, aunque fuese brevemente, y no recorrer las alamedas del cementerio, sus calles de mausoleos y dejar vagar el alma libremente y compenetrarse con el espíritu de artistas y de diversos grandes hombres que en su día impresionaron a la humanidad.

A los primeros pasos hay que dirigirse rectamente al monumento central, al fin de la avenida, hacia donde nos trae el grupo escultórico de Bartolomé. *A los muertos*, se lee en el frontispicio. La puerta, en la escultura, entrada a lo desconocido, recibe a dos a quienes llegó la hora de pasar el umbral, y a derecha y a izquierda van acercándose en tropel hombres, mujeres y niños, atraídos al abismo por fuerza irresistible; ninguno satisfecho, de pie, de rodillas, caídos, desesperados, llorando, cubriéndose el rostro de horror, de hinojos y los brazos cruzados, aguardan su instante de pasar a lo infinito. Debajo, en el hueco, se hallan tres cadáveres yacentes, pintada la calma en las fisonomías: dos mayores y una niña; están dominados por una figura con los brazos extendidos y con una estrella en la frente, diciéndoles más o menos: *Para los que duermen en el seno de la tumba con el corazón tranquilo, hay siempre en lo infinito una luz que los alumbra.*

A ambos lados de esa avenida principal, frente a la tumba del presidente Faure, cuya efigie en bronce cubre la losa, se levanta una pirámide egipcia, misteriosa como las que en el desierto indican el más allá del Nilo y aquí el más allá de lo insondable. En el centro, una puerta estrecha indica el acceso a ella, e impide esa entrada una mujer egipcia, rostro y senos descubiertos, sonriente, con los brazos extendidos cerrando el paso, y silenciosa como el monumento, que nada dice, todo lo deja adivinar; y conservando los restos mortales que guarda aquella sepultura el misterio de a quiénes pertenecen, indican cómo es misteriosa la vida, cómo es misteriosa la muerte.

Alfredo de Musset, con su estatua de pie sobre la sepultura, recibe ofrendas de almas poéticas, según lo cubren de flores frescas, que nos dicen y recuerdan aquella frase de Bécquer, que se puede parodiar con esta: *Mientras haya amor habrá poesía,* que no en vano la juventud se renueva y con nueva savia revive cantares que se creerían desaparecidos por el chirriar de los carros de las industrias y el humo de las fábricas y de las locomotoras.

El amor, el sentimiento eterno, siempre igual, siempre el mismo, perdura y se manifiesta quizás mejor que en otro lugar en este, que es la expresión de lo pasajero y de lo deleznable. Una reja de hierro que rodea una capillita gótica, levantada elegantemente alrededor de varias tumbas que se hallan junto a ella, sirve de peregrinación a los enamorados que van a ofrendar la pureza de sus corazones a las víctimas del amor, yacentes hace siglos el uno junto al otro: Abelardo y Eloísa.

Los ramos de flores, los pensamientos y las violetas, sobre todo éstas, sirven para testimoniar a los que visitan como simples curiosos ese lugar de eterno reposo que hay almas sensibles que ven representadas, en los que fueron, las palpitaciones de las suyas; que se conmueven como ellos se conmovieron, y cuyos corazones palpitan como se estremecieron los de los dos amantes.

El suave aroma de las violetas atadas a las rejas llevará quizás a los residuos de los inanimados restos de Eloísa y Abelardo la expresión de la simpatía y el cariño por su triste historia, y tal vez, si es que en la materia hay sensaciones desconocidas para los mortales, serán besos que, al rozar con las cenizas de la encarnación de aquel amor ferviente, se estrecharán de voluptuosidad y de envidiable felicidad bajo la losa obscura de la nada. ¡Dormid tranquilos, que el olvido no se apoderará de vosotros jamás!

A mayor distancia, cuatro gruesas y rústicas piedras de granito gris unidas entre sí por una cadena de hierro; una baldosa de la misma clase de piedra sirviendo de techo a esa especie de gruta; plantas trepadoras clavando en las rocas sus raíces y cubriéndolas de un manto de esmeralda, y un busto de bronce, rodeado de coronas y flores, dicen al que pasa que allí reposa Allan Kardec, el jefe que fue del espiritualismo actual. *Naître et mourir, renaître encore et progresser sans cesse, c'est la loi.* Y en esta frase, grabada en el frontispicio, queda encerrada la doctrina que, paso tras paso, lentamente, como la hiedra se posesiona de las rocas, va apoderándose de las almas cansadas de religiones desgastadas por el uso que de ellas hacen secuaces desatentados, quienes, poniendo a su servicio altísimos preceptos de la moral más santa, acaparándolos para sus humanas ambiciones, pretenden adueñarse de la tierra, olvidándose de que las palabras del Maestro, escritas en el código del cristianismo, repiten a cada instante: *Mi reino no es de este mundo.*

Sigamos yendo de sepultura a sepultura, y de Arago a Ledru-Rollin; de Lebrun y Sieyés, colegas de Napoleón en el Consulado, a Talma, el gran actor; del químico Lavoisier a Garicault, autor de la magnífica pintura *El naufragio de la Medusa;* del dulce Bernardin de Saint-Pierre al coronel de Lebedoyère, fusilado por la Restauración, por su fidelidad al Emperador; y allí los compañeros del gran guerrero Kellerman, Lefèvre, Massena, Macdonald; Gay Lussac; el cirujano Larrey; Lavalette, que debió la vida a su esposa, quedando ella disfrazada en el calabozo la víspera del día en que él debía ser pasado por las armas; Balzac, Beránger, Michelet, Auber, Thiers, Rosa, Bonheur, todo lo que ha brillado en este cerebro del mundo en artes, letras, armas y ciencias.

Y allí, junto a un monumento internacional que encierra los despojos del cerebro de Hahnemann, fundador del sistema de la medicina homeopática, leemos un nombre en español: Vicente. Nos acercamos rápidamente y decimos: ¡Un cubano!

Efectivamente, es la tumba de un cubano ante la cual nos encontramos:

«El Sr. D. Vicente de Mora, abogado distinguido de la Isla de Cuba, de Puerto Príncipe, 19 de febrero 1804 y 10 de septiembre 1851.

>   »Del justo defensor, del pobre amparo,
>   buen padre, recto juez, leal amigo;
>   como a sus hijos, a su patria caro,
>   bajo esta sacra losa tiene abrigo
>   el ser mortal de D. Vicente Mora:
>   Francia le guarda, América le llora.»

Y plácenos haber colocado flores también sobre tumbas de seres simpáticos a nosotros, y también, como los enamorados, depositamos unos pensamientos a Eloísa y Abelardo, y sobre una losa negruzca, con un solo nombre de mujer y con fecha de principios del siglo pasado, completamente abandonada, colocamos un ramillete, diciéndole: *A la amiga desconocida y sola.*

Del cementerio al Panteón, allí reunidos todos, aquí los elegidos; allá *todos*, aquí los individuos; y fuera de lo hermoso de la antigua iglesia de Santa Genoveva, sus cuadros murales, sus columnas y el proyecto de un grupo colosal, en yeso, colocado en el centro, lugar que ocupó el altar mayor, para ser vaciado en bronce, representando a los convencionales Dantón, Robespierre, Camilo Desmoulins y los demás jurando a la patria *Ser libres o morir*, no ofrece la cripta nada de particular, sino el saber que allí están Rousseau, Voltaire, Víctor Hugo, Zola, Fenelón, La Fayette, Carnot, Cuvier y los demás, a quienes el frontispicio dice: *A los grandes hombres, la Patria agradecida.*

En el peristilo una estatua de Rodin dice lo que quiere decir el Panteón a todos: la figura de *El Pensador*, en bronce, pudiera traducirse: «Aquí está encerrado el cerebro de la Francia.»

XVI

Hablar de todo lo que encierra París no es posible. Se han escrito tantos libros, hay tantas guías, que hacerlo sería nimio, por una parte, y por otra, atrevida pretensión de querer repetir mejor lo que está ya perfectamente descrito por los que en ello se han ocupado; pero dejando de lado sus espléndidos bulevares, su extensísimo bosque de Boulogne, su Arco de Triunfo, lleno de relieves de las batallas de Napoleón y con los nombres de sus generales; el de Saint-Denis, mudo y antiguo testigo de tantos acontecimientos sangrientos, y que nos llegan a montones a la imaginación; la columna de Vendôme, el Obelisco, la magnífica plaza de la Concordia, sus hermosos puentes, el Trocadero, la Magdalena; la estatua de Enrique IV, el mejor rey de los franceses, impávido, a caballo, contemplando las magnificencias de su capital, que *bien merecía oir una misa*, como antes lo vio revolverse entre espadachines e historias galantes, y el Louvre con sus innumerables objetos de arte, fijémonos, aunque sea rápidamente, en dos puntos que culminan, para el que observa las cosas, de cierta manera curiosa y original: en la Torre Eiffel y en el Jardín del Luxemburgo.

Decir la Torre Eiffel es decir París para el extran-

jero que concibe a la antigua Lutecia por la atrevida
armazón de acero que, desde lejos, como una aguja,
va a buscar las nubes a 300 metros de altura.

Los antiguos alzaban de un solo bloque un obelisco de granito, cubriéndolo con jeroglíficos reveladores
de historias, de nombres de reyes, de conquistas y de
plegarias; los modernos los levantan como queriendo
escalar el cielo, haciendo filigranas de acero por entre cuyas trabazones circula libremente el aire azul, y
poniéndole escalas para trepar y ascensores que arrastran sin sentirlo hacia las alturas, en donde se come, se
presencian representaciones teatrales, se obtienen fo-
tografías y se venden cachivaches; y la Torre Eiffel es
también una plegaria del genio moderno, y un valien-
te alarde del progreso y de la civilización.

La curiosidad primera es preguntar por el monumento, y después llegar y subir, y desde arriba contemplar bajo nosotros hormigas que pululan, coche-
citos de niños que circulan, ferrocarriles minúsculos
que corren, una línea de agua que serpentea, edificios
que parecen casitas de cartón, jardines iguales a líneas de colores en un papel, bosques que son manchas verdes, y todas esas pequeñeces a que alcanzan
nuestros ojos es el gran París, extenso, poblado, y el
Sena bullicioso con sus vapores y sus puentes.

Y desde aquellas alturas, resguardados por cristales y por rejas de hierro para no ser arrastrados hacia
el vacío, se concibe la pequeñez del hombre y de sus
obras tan pronto como nos apartamos un poco de la
tierra que lo sustenta.

Desde la obra del famoso ingeniero, desde la atmósfera pura, desde los pisos que nos sostienen y que
parecen oscilar en el espacio, bajemos a un pedazo
singularísimo de París, pedazo que no ha perdido, ni
perderá quizás durante largo tiempo, un tipo caracte-

rístico especial, tipo que, por imitación bastarda, conservan un número de individuos que se dicen estudiantes: el Jardín del Luxemburgo.

Entre árboles y estatuas, codeándose con niños que retozan, unos cuantos individuos, simulando *talento*, tomando el tipo *bohemio*, circulan solos o llevados del brazo por algún compañero, o arrastrando a alguna jovenzuela, infeliz criatura, hoja caída que habrá de desaparecer en la vorágine del vicio y de la miseria, sin quedar de su paso señal alguna.

El *príncipe* de los bohemios, un anciano de larga cabellera y barba blanca, lee un periódico sentado en un banco, respetado y considerado por los que pasan por su lado sin mirarle.

Un bohemio de larga melena, con pantalón de pana aterciopelada, bombacho, estrechado a los pies, desaseado y con corbata suelta, de rostro cadavérico, ojos hundidos, barba no rasurada, un sombrero chafado de cualquier manera, con una pipa en la boca y las manos en los bolsillos, va apegado a una mujer, recostado a ella, como tronco que se adhiere a otro tronco.

Otro, más o menos por el estilo, va de bracete con otra mujer, y otros estudiantes, de dos en dos, van pasando sin cuidarse ni de estudiar ni de los que los miran, formando una colectividad sin ambiciones ni esperanzas, dándose el tipo de gentes que piensan y que habrán de llegar a algo, y para ello emplean su tiempo en perderlo miserablemente en orgías y en trasnochar, y pasar hambre, quizás, en días más o menos aflictivos.

Aberración del sentido común que se malea y se descompone pensando que el andar sucio, el beber alcoholes, el vivir entre gentes de poco valer, marcan un carácter y que es un exceso de talento el que los mantiene en ese estado; y tal vez sienten también lo mismo esos mamarrachos del arte, pintores embadurnadores de telas que se exhiben como obras del *modernismo*, nueva escuela, y que pintarrajean simplezas, disparates, obras buenas para gentes sin sentido artístico, y que, por moda creada por cerebros de desequilibrio artístico, quieren darse importancia y singularizarse comprando esas incongruencias, que desaparecerán en su día, barridas como el polvo y con el tipo *bohemio*, bohemio que se cree futuro grande hombre, y que no siendo más que una imbécil nulidad, caerá a su vez en la nada, como todo lo que se sale de lo verdadero y lo real.

París gana con esos tipos, porque la vista del que pasa mirando sus bellezas se fija también en lo malo, para, en su comparación con lo bueno, distinguir el oro falso del que es de pura ley.

Vivid, pues, ya que así debe ser, y vivid *bohemios*, y vivid pintores barrocos, como el barro vive en calle bien adoquinada, para que el paseante, al cruzarla, trate de no salpicarse ni caer en sus suciedades.

Hasta aquí París; Oriente comienza ahora.

ORIENTE

EGIPTO

I

¡El mar! Estamos en él otra vez: en el azul Mediterráneo. Atravesamos rápidamente a Marsella, y del tren pasamos al vapor alemán *Prinz Louit Leopold*. A la una y media dejamos el muelle, pasamos por detrás de gran número de vapores franceses atados, inactivos por la huelga, y dejando a la derecha la ciudad, y junto a ella, en elevada colina, a *Notre-Dame de la Garde*, bajo cuya protección parece hallarse Marsella, se esboza un islote rocalloso, y luego unas murallas y unos torreones: ¡el castillo de If!

¿Quién en su mocedades no leyó con avidez la fantástica producción de Alejandro Dumas, quién no soñó con el Conde de Montecristo, se identificó con él, se sintió conmovido intensamente, y no siguió, letra por letra, el libro de maravillosa fantasía que a su aparición tuvo cautivo al mundo entero, y que, aun hoy, continúa disfrutando del favor de la juventud, aunque sea una vez en la vida, apenas principia uno, en sus mocedades, a sentirse atraído por la afición a la lectura? El romanticismo, como un ideal poético, habrá de apoderarse siempre del cerebro humano, y conservarán sus cetros de soberanos, en este género, **Dumas,** con *El Conde de Montecristo* y *Los Tres Mosqueteros,* y Eugenio Sué, con *El Judío Errante* y *Los Misterios de París.*

¡El castillo de If! Todo ha sido y no es más que una ficción; pero arrancad a la imaginación el recuerdo; borrad del corazón las palpitaciones que fueron y han dejado en él puntos como los de una plancha fonográfica, que reproduce sus latidos al contacto del objeto que le dominó un día; los ojos buscan las altas murallas de la fortaleza, siguen las curvas de los parapetos, van a las líneas de las torres que se destacan sobre el horizonte y se detienen en la parte donde se adelanta más hacia el Mediterráneo, y «¡Aquí!», se dice, y se reconstruye el drama, y cerrando los ojos se desarrolla y se siente placer en evocar como verdadero lo que no ha sido ni podrá ser. Y como ese castillo de If y sus misterios, fantasma creado en nuestra alma artística, ¡cuántas y cuántas hechicerías viven en ella, que nos hacen agradable la vida con sus placeres y sus dolores, sus inquietudes y sus vehemencias, que no es la existencia más que una representación más o menos festiva, más o menos dramática, según sabemos amoldarnos, conformarnos y sufrir los vaivenes de esa ola, inconstante como la del mar, que se llama trabajo y lucha, progreso y civilización!

Marsella, la ciudad popularizada y eternizada por una canción que la casualidad puso en los labios de cierto número de sus hijos, y que pasó a ser como el símbolo de las grandes reivindicaciones, *La Marsellesa,* va desapareciendo a lo lejos, como la costa, y se pierde al fin en el azul neblinoso del horizonte.

Sobre las ocho de la noche el vapor se detiene, y la sirena lanza, como grito de angustia, sus sonidos estridentes. Estamos completamente a obscuras, no nos

distinguiríamos casi los unos de los otros si no fuera
por los focos eléctricos, cuyas lámparas parecen envueltas en una gasa de tul espeso. Quizás el mar de
tantas leyendas, de tantas narraciones, de tantos combates, se apresta a avivar nuestra curiosidad, estimu-
lada ya de por sí por lo que tenemos leído, para man-
tenernos en una tensión que no decaiga; una niebla
densa que nos viene de Africa, atrasa por completo
nuestro andar; en vez de llegar el domingo, arribare-
mos el lunes a Alejandría.

Sobre las siete de la mañana del siguiente día nos
encontramos en el estrecho de Bonifacio: Cerdeña y
Córcega. Córcega, de picachos que semejan trozos de
madera que el hacha del leñador hubiera ido cortan-
do sin concierto, tiene aspecto de aridez y de barran-
cos y precipicios; faros en las puntas más salientes,
una población que tiene aspecto de cuartel, fortalezas
y algunos torreones es lo único que alcanzamos a ver;
y su aspereza y sus rocas, que llegan acantiladas hasta el mismo mar, y su aspecto salvaje, en demostra-
ción de su naturaleza dura y resistente, nos hace pensar en aquel de sus hijos que, pigmeo desconocido,
supo eternizarse convirtiéndose en el guerrero gigante que llenó el mundo con sus hechos y con su nombre, aun después de haber desaparecido: Napoleón,
un dios mitológico más de la tierra en el andar de los
tiempos.

Después de la niebla, un día claro y apacible, una
calma *chicha* nos protege: ni una ola, ni más viento
que la fresca brisa aumentada por el andar del vapor.
Hacia Oriente vamos, la tierra de grandes tradiciones
y de recuerdos santos, y se experimenta como una ansiedad inquieta por lo anhelado, una satisfacción inexplicable por la realidad que se va a tocar, y la melancolía voluptuosa de un amor al pasado invade a la

Naturaleza, nos comprime, se apodera de nosotros y nos hace apetecer el llegar pronto, nos hace desear el retardarlo, con los anhelos con que el elegido de un corazón, en la primera noche de bodas, va a descorrer el velo misterioso que en nimbo de pureza y blancura envuelve al amor de sus amores.

¡De Oriente, la luz! Vayamos, pues, a buscarla y a sentirla en tierras que parecen muertas; en generaciones estacionarias, en tradiciones escritas en granito, y a la luz de cirios y lámparas funerarias, recojamos y traigamos al alma resplandores mortecinos, que puedan besarla tan dulcemente como besa el sol, iluminando con rayos de vida a la tierra toda.

II

La ciudad que edificó Alejandro el Grande en un pequeño puerto egipcio, visitado frecuentemente por los fenicios, Alejandría, será la primera tierra africana que hollarán nuestras plantas.

A las nueve de la mañana, con la misma mar en calma, dejando a los lados islotes desnudos de vegetación, embocamos el estrecho que separa la Sicilia de la Italia continental. Allí el pico del Etna, tranquilamente velado por ligeras nubes blancas en su cúspide, se ostenta como inocente montaña no responsable de daño alguno. Sus víctimas Mesina y Catania conservan todavía edificios en ruinas que atestiguan la intensidad de las convulsiones del volcán, y bajo los escombros existen aún los restos de miles de cadáveres de los habitantes sorprendidos por la catástrofe.

El vapor va navegando a ras de tierra, tan pronto de un lado como de otro del estrecho, que es un verdadero estrecho, puesto que a la simple vista se distinguen perfectamente casas, moradores, colores de los trajes, cabalgaduras y niños bañándose en la playa.

Se ven pueblos casi junto al mar, otros escalonados en las montañas, y se mira uno aconchado a altísimo y gigantesco picacho de granito violáceo-rojizo, con una gran grieta que parece abierta por el cincel de algún dios Hércules. Las casas semejan allí como pichones de águilas, al pie de una ermita, que parece ampararlas con su campanario y paredes, como la roca les sirve de escudo contra los vientos del Norte.

Viñedos, olivares diseminados y verdes limoneros van, gradualmente y emboscados, trepando las montañas, y entre el boscaje se semiocultan casas y más casas, flores rojas, cactus y chumberas.

Nuestro vapor avanza, dobla, vuelve a doblar, y buques de vapor y de vela, con todos sus trapos desplegados, nos pasan por delante o cruzan por nuestra popa. Algunas barcas con su vela latina nos hacen fijarnos en el azul turquí del mar, y notamos entonces que ya nos hallamos en el mar Jónico, y continúa a más y mejor la atmósfera pura y convertido en un espejo el comercial Mediterráneo.

Muy de mañana, el día 15, una línea blanquecina rosada nos indica la tierra, y apenas la primera claridad asomó al espacio, nos dirigimos al puerto. Un colosal acorazado inglés, señal de dominio y de fuerza, fue lo primero y más sugestivo que hallamos al paso.

Para desembarcar no hubo dificultad alguna, y no hemos encontrado esa turba pedigüeña y ratera que con tanta insistencia nos señalan las *Guías* que hemos consultado; con facilidad fuimos a la aduana; los coches van tomando turno, según llegan con los viajeros; la visita del vista es superficial, y un empleado nos pregunta al entrar nuestro nombre y nacionalidad. Al decirle *Cuba*, nos dice: «¿Eso qué es?». Y tenemos que agregarle: «América». «¡Ah!». Y nos responde en francés: «Pasad, señores.» El empleado es indígena, como dicen aquí: egipcio, pues.

Desde el hotel vemos el mar de aguas verdosas, de poca profundidad por esta parte; una muralla-malecón, no bella como la de la Habana, sirve de dique a las aguas, de lecho a algunos que duermen, de calle a otros que transitan, así como a las mujeres del pueblo que lo recorren con el traje negro egipcio, velado el rostro, con los pies descalzos y llevando brazaletes en el nacimiento de las pantorrillas; y cruzan también hombres con turbantes, con gorro turco, con diversidad de colores. ¡Cuántas acuarelas en cada uno!

Las calles buenas; algunas amplias; casi todas embaldosadas y con soberbios establecimientos que nada tienen que envidiar a los de Europa; pero dejémoslas y dirijámonos al barrio turco, sigamos con interés calles tortuosas desatendidas, donde abundan casas de más de un piso, con balcones salientes pintados de verde. Cada puerta es un tenducho, cada tenducho uno de diferente oficio, por decir así, y turco, egipcio o árabe, sentados sobre sus piernas, atienden a sus quehaceres, comiendo pan o frutas, o tomando café, o fumando su pipa (narguile), pasando el humo por el agua purificadora o aromatizada. ¡Cuánta fruta, cuánta gente distinta, cuánto traje diverso y cuánto hablar diferente! La bandera roja, la media luna y la estrella solitaria de los tenaces y temidos *herejes* en *contubernio* con todas las de todas las naciones, y junto a la mezquita la iglesia de Cristo en sus distintas manifestaciones; allí pasan dos buenos mozos, de hermosa barba negra, que conversan alegremente; por el traje son dos sacerdotes ortodoxos griegos y van... a su *negocio*, en tanto que algún mahometano lee, balanceándose, el Corán, y otros pasan contando las cuentas de su rosario.

El sol, *Amón Ra*, dios de la Naturaleza, es el que lo dirige todo y todo lo determina en la tierra. No es esta una apreciación nuestra porque sí. Apartémonos por completo del gran misterio de la vida y de la Divinidad, indescifrable aún para la humanidad. Nos ocurre esta idea al recorrer una y otra vez las calles de Alejandría; al mirar los puestos de frutas, de legumbres; sus carnicerías, sus cacharros de cobre, y descartando los trajes, el tipo de sus individuos, los hombres y las mujeres —por lo que se puede percibir de ellas, la frente y los ojos—, son idénticos a los nuestros, tanto que diríamos que son cubanos disfrazados. También el sol en Egipto da vida, como la da en Cuba.

III

Por la plaza de la Bolsa pasa una manifestación de egipcios, con pendones y una bandera; emiten un canto largo y plañidero, y diríase una de nuestras comparsas de mamarrachos, de los días de Santiago y Santa Ana, y perdónennos los civilizados del viejo continente lo que vamos a decir: las frutas y el pan y lo que en el hotel comemos, es fruta y pan y comida que nos saben a los de nuestra Cuba. ¡Qué soso hemos encontrado hasta ahora lo de otras partes! Y sólo aquí hemos tomado café, porque el de otros lugares es agua teñida, mal preparado y... ¡servido en vaso!

¡Amón Ra!, tenían razón tus antiguos admiradores; tú eres el regulador de los pueblos y de sus caracteres; en tus regiones, donde tú imperas con toda fuerza y libertad, estén los hombres en Europa o en América, tú los señalas como similares los unos de los otros, y quiérase o no se quiera, serás en tanto haya vida el que darás flor a la tierra y aliento a los hombres.

Visitando los alrededores de la ciudad preguntamos por una bonita quinta rodeada de árboles: «Es un harén», se nos dijo, y discurrimos sobre las que lo habitan, a lo cual se nos contestó: «No las creáis disgustadas ni aburridas; se placen en él; no tienen que pensar en nada, y lo tienen todo, incluso el dominar a su señor.» Y quizás sea verdad; con instrucción limitada no nacen deseos exagerados.

La mujer, durante el día, siempre con el rostro cubierto, monta en tranvías, va a las tiendas, a los teatros; tiene lugar reservado en los espectáculos y en los ferrocarriles, y cuando, por casualidad, algún hombre ocupa uno de sus asientos, inmediatamente llaman al conductor o acomodador para que lo haga salir. El que esto me refería agregó: «Y creedlo, le hacen guerra al hombre. En el día la egipcia fanática o fea se cubre todavía con el velo negro y espeso; las lindas lo usan blanco y sutil, lo que permite distinguir lo bastante, y la moda, mujer al fin, hará desaparecer, en el andar de los tiempos, el versículo que estatuye: *Ni a tu hermano dejarás ver la cara de tu mujer.*»

El marido puede devolver la mujer después de la primera noche de realizado el matrimonio si no le place, perdiendo la cantidad que pagó por ella a los padres en concepto de compra o dote.

En la parte Sudoeste de la ciudad se levanta, altiva todavía, de un solo bloque de granito algo rojizo, la columna de Pompeyo, y en la parte de la base, sepultura de granito también, señalada con una inscripción, se sabe que ese lugar lo ocupó el cadáver de Alejandro el Grande; las invasiones saqueáronlo, y las cenizas del héroe antiguo desaparecieron por completo. Dícese que estaba encerrado en un sarcófago de oro. Lo más probable es que los profanadores fueron en busca del metal, y no de huesos que, al cabo y a la postre, un poco de tierra más o menos nada vale.

Napoleón, guardado en los Inválidos de París, ¿correrá en su día la misma suerte? ¡Quién sabe!

Un par de esfinges se encuentran en la parte alta del terreno en que se asienta la columna, y hay que mirarlas, contemplarlas y reflexionar. La cara plácida de una mujer buena, de una gran bondad, es lo que representan; la sonrisa de la boca es divina, y los labios, tallados admirablemente, con la comisura de ellos lo marcan de modo especial, y atraen, y fascinan, y torturan cuando se quiere buscar la significación que se desprende de ellas, y hacen presumir que son la imagen de la madre tierra, invariable con sus hijos, pródiga en bienes e incansable para derramar sus dones al hombre favoreciéndolo con la espléndida e inmortal Naturaleza.

En las excavaciones al pie de ese monumento existen unas catacumbas, encontradas sin que hubiera idea de ellas. Se desciende por una rampa convertida en suave escalera, y se va girando en torno de los muros de una torre, cuyo centro es un pozo para recoger tal vez las filtraciones del terreno. Se cruzan galerías que tienen nichos abiertos, se ve la tumba de un doctor cuya calavera y algunos huesos se conservan todavía; columnas cuadradas sostienen bóvedas, y hay que girar, y bajar peldaños, y entrar en departamentos de familias, y llegar frente a la tumba de un rey, adornada con esculturas de ramos de uvas y figuras egipcias, y frente a esa sepultura están la estatua de dicho jefe y la de su mujer, una madre de familia.

Dos calaveras de desconocidos están a un lado; tomamos una y nos decimos: «Tú pensaste, tú sentiste, tú creaste quizás; dormiste creyendo que no volverías a ver la luz jamás, colocado en esas profundidades, y tus huesos son devueltos a la superficie, y palpas otra civilización, y gentes extrañas que han cambiado por completo tu patria alumbran con electricidad tus rincones, para que el extranjero no pierda un ápice de las cavernas subterráneas que construiste bajo el subsuelo, galerías que acaso supusiste que el hombre futuro no podría hallar jamás.»

En una de las distintas salas hay ánforas de barro vacías; el tiempo reduce a polvo lo mejor guardado a veces, y se encuentran calaveras de caballos y huesos de los mismos, cuyas tumbas están también allí, como pago de los dueños por los buenos servicios que les prestaron.

En el Museo, rudimentario, por decirlo así, comparado con otros, y que va formándose brillantemente bajo la dirección de Botti, ingeniero de excavaciones y coleccionador y organizador de ese centro del arte antiguo, se encuentran estatuas de admirable factura; hay una figura de mármol, de personaje desconocido, cuya cabeza vive y atestigua que el hombre de entonces es tipo igual al de hoy; y después de ver jarros, ánforas, lamparitas de barro que quedaron encendidas junto a los cadáveres como última ofrenda, sepulcros de granito, vidrios, papiros, joyas de oro, collares de piedras, una calavera con una corona de hojas de laurel verde y oro, adornando lo que queda de la cabeza cuando se enterró, se miran momias que el visitante contempla respetuoso y que nos dicen: «Fui, y vosotros también dejaréis de ser a vuestra vez.»

El Museo del Cairo es admirable, y el de Alejandría no reviste importancia comparado con el de aquella ciudad, verdaderamente oriental en toda su pureza todavía.

No hay en el cielo una nube, y aunque la presencia del sol es constante, el calor está mitigado por una brisa bastante fuerte, y por la sombra que proyectan las casas en las calles anchas, y por el bienestar de los callejones, a los cuales no pueden alcanzar los rayos del sol. Dejando las ventanas y los balcones abiertos se disfruta de una temperatura deliciosa.

El mar murmura a grandes voces batiéndose contra las rocas que circundan la ciudad, formando así casi el puerto de que goza Alejandría, y las lanchas pescadoras, con sus velas latinas, yendo y viniendo, mañana y tarde, del horizonte, son como aves que van llegando al nido, para al día siguiente repetir de nuevo la misma acción.

Es hora de dejar la ciudad; el Cairo, la legítima oriental, nos espera, y el tren, en tres horas, nos llevará desde las orillas del Mediterráneo a las márgenes del Nilo, y partimos aguijoneados por lo que hemos de ver.

IV

El Cairo, capital y centro del movimiento egipcio, a las orillas del río sagrado, es ciudad típica oriental; beduínos y negros del Sudán, moros y árabes, turcos y griegos, rusos, italianos, ingleses, americanos del Norte, franceses, se disputan la posesión de esta tierra, que es de todo el mundo y donde todos son respetados y considerados.

¿Se trabaja o no se trabaja? No se puede asegurar si el trabajo está aquí repartido por igual y con la misma voluntad de luchar por la vida. Durante el día es un ir y venir a pie, en carretas, en coches, en tranvías, en asnos y en camellos, y el movimiento es igual al de cualquier ciudad populosa europea, y llegada la noche, hasta la madrugada, las mesas, que invaden todas las aceras y aun parte de ciertas calles, se mantienen llenas de bebedores de café y fumadores en *chicha* (narguile) enfrascados en largas conversaciones, sin percibirse disputa alguna; los helados son baratos y buenos, y el clima apacible hace que los hombres, en general, pobres y ricos, gasten sus horas nocturnas en tomar el fresco y no dormir.

La mujer indígena, durante el día, cubierto el rostro como exige la ley, va por todas partes también, y compra en las tiendas, en los mercados, se hace llevar mercancías y muchas de ellas hablan el francés, el inglés y el italiano.

Los harenes hacen un gasto extraordinario de telas y sedas preciosas, de perfumes exquisitos, ricas prendas y dulces finos.

Y no bastan los ojos para mirar ni alcanza la imaginación para pensar en lo que son las criaturas que desfilan por delante de nosotros, con ojos negrísimos y de mirar profundo, cutis ambarino, y las ricas con collares y brazaletes de oro, con figuritas de sus dioses antiguos, y bien calzados los pequeños pies.

¿Cómo visten? Hay que suponer que bajo la túnica y el manto negro, ropaje para la calle, cubren sus carnes sedas magníficas, que de estas telas están llenos los bazares para surtido de los harenes.

Y el musulmán es quizás el legítimo y el último creyente de buena fe que habrá de participar de la indiferencia terrenal. Hay respeto verdadero en las mezquitas, no se va a orar sin llevar limpios cara, manos y pies, como limpios se llevan el alma y el corazón; y la majestad de su Dios se manifiesta en las mezquitas, desnudas de atributos del culto, grandes, hermosas, decoradas de filigranas de mármoles y alabastros, con incrustaciones de plata y oro en sus magníficas puertas de bronce y con versículos del Corán escritos en los delicados mosaicos que decoran las bóvedas de atrevida construcción.

Las mezquitas de Ibu Touloum y de Hasam, en la ciudadela, son muestras brillantes del arte árabe, y en la fortaleza, en el patio en que fueron destruídos los últimos mamelucos, se enseña impresas en una de las baldosas las herraduras del caballo del único superviviente que salvó a su dueño dando un salto prodigioso y cayendo en un barranco, al pie de la muralla. La fábula, la tradición embellece, como de costumbre, los actos de heroico valor o de extraordinaria caridad.

Un pozo muy hondo con alguna agua, y de más de trescientos escalones para llegar al fondo, se llama el pozo de José, y los que quieren encontrar recuerdos históricos unidos a su fe donde no existe tal cosa, lo señalan como el sitio en que los hijos de Jacob abandonaron al hermano más pequeño, que más tarde debía llegar a ser ministro de un Faraón.

La historia de Jesús ha dejado aquí también su sello, y un árbol secular, junto a una noria de agua exquisita, fresca y cristalina, es conocido por el «Arbol de la Virgen». Se cuenta que aquí la Sacra Familia reposó largo rato al acercarse a esta ciudad.

Sería natural narrar las impresiones causadas por la Esfinge y las Pirámides, lo que nos han sugerido los dos monumentos típicos, y cuya sola enunciación es como decir *Egipto;* pero trocamos el orden y dejamos para luego lo que, sin duda alguna, tiene derecho de prioridad.

El ferrocarril, cruzando el sagrado Nilo, dejando tras sí villorrios de adobes, datileros y campos sembrados de maíz, de trigo, de arroz y de caña de azúcar; convertidas las parcelas de terrenos arenosos en fértiles por el limo que el río amorosamente cada año deposita en ellas, nos lleva, en una noche, de las seis de la tarde a las nueve de la mañana, a Louxor, lugar de la antigua Tebas.

Grande fue su historia, eco tuvieron en su tiempo su cultura, su acometividad, su extensión, como lo atestigua hoy la civilización de Occidente, que rinde justo culto a tanta grandeza arquitectónica, a tanto símbolo que el arte ha grabado en las rocas de una manera imperecedera, cuidando, organizando y reconstruyendo la obra de sus antepasados los orientales, que no será destruída ya.

Allí las gigantescas columnas del templo de Louxor, confundiéndose con el nombre de Karnac en la agrupación de ruinas colosales que se admiran, y sin poder comprender el espectador cómo el hombre se

agigantaba dominando a la Naturaleza sin máquinas
que le permitieran, como hoy, toda facilidad de trans-
portes; los mármoles y los granitos, de tamaños sor-
prendentes, verdaderas moles, todo allí nos dice que
lo que el hombre quiere lo puede, como lo ha podido
siempre.

Allí se encuentran tumbas de los Faraones relega-
das en hondos escondrijos, bajo montañas de piedras,
cavernas labradas en la roca con grabados y pinturas
que el tiempo no ha tenido fuerzas para destruir.

Estatuas colosales, convertidas en columnas, se hallan en orden de parada; las Esfinges mutiladas siguen siendo centinelas en la avenida de datileros, templo de Ramsés, sala de Alejandro el Grande, santua-
rio de la Barca Sagrada, templo de Amón, de Tutmo-
sis, de Ptah, y se acumula en nuestro cerebro tanta belleza como está confundida por tierra y bajo sus baldosas, y después de descender a las tumbas reales en
que aun se conservan los huesos de soberanos y mag-
nates, pasamos a saludar las dos grandes estatuas de
Memmon, de cara al Nilo, impasibles a las aguas, a
las arenas y a las gentes; y tomando una barca (da-
jabía), cuyas dos velas latinas, como alas de gaviota,
recogen el poco viento que sopla, vamos río abajo, mirando norias, dátiles, asnos, camellos y mujeres con
el traje negro, el rostro cubierto y el ánfora de barro
llena de agua, conducida al equilibrio sobre la cabeza
hasta la cercana choza, donde el marido espera, ru-
mia la vaca y regaña el gruñón camello, duro y fuerte
como sus amos.

¡Bendita tierra de Egipto, a la cual protege y guarda aún la Isis fecunda! Quizá la mente de los Faraones asomó alguna vez lo que debían ser los tiempos
modernos, y resolvieron llegar a ellos para recrearse
con su patria futura, para ser casi adorada de nuevo

y recibir los honores *reales* por los habitantes todos del globo. Tal vez alguna hada misteriosa de las tantas que poblaban los santuarios les indicó el camino, tal vez les predijo el porvenir, y en rápido miraje les mostró cómo debían volver a la luz, percibir los rayos de su Amón Ra, recibir los efluvios de las corrientes por las cuales navegaron con velas de púrpura, con músicas y con flores, con innumerables cautivos, en barcas en que el oro y las piedras preciosas eran tantas como las gotas del agua azul transformadas en diamantes y topacios por los cambiantes del sol ardiente de Egipto, y recibir el homenaje de respetuosa curiosidad al desfilar delante de ellos el mundo entero en el Museo del Cairo.

Sepultáronles para guardarlos eternamente, las arenas completaron la obra, y la eternidad debía ser limitada a un período de miles de años, porque, en la Naturaleza, lo perpetuo no existe sino evolucionando; lo estacionario desaparece por cambio o por absorción.

V

El Nilo, en lucha tenaz y constante con el desierto, fue acumulando sus arenas; sube y sube, diríase átomo a átomo, continúa y parece expresar: «Aunque levante montañas, no temáis; hemos de conservar para las generaciones futuras la obra de nuestros hijos: la civilización egipcia.»

¡Subid, guardad, conservad polvos impalpables, dioses protectores de los monumentos y de los despo-

jos de los bárbaros sucesivos: las invasiones de los
persas y las de los cristianos; iconoclastas los últimos
que, en un misticismo feroz, sin poder comprender
cómo todo Dios está en la belleza de la forma externa,
cómo está en la Naturaleza siempre bella, mutilaban
estatuas, columnas y momias!

¡Bendito Nilo, que continúas tu obra fecunda y
grande! Y así como tus hijos orientales te rindieron
culto en el pasado, hoy el mundo occidental te lo rinde a su vez por tu obra generosa, salvando para ellos
lo que, siendo gloria del ayer, es cimiento de lo presente y senda para lo porvenir!

Los días corren aquí con mayor rapidez que en
otras partes, el tiempo desaparece entretenido uno en
pasar, ver, contemplar y admirar cuánto es el arte árabe, cuánto el Egipto antiguo y cuánto el hombre moderno encontró en los rincones de las montañas y
transportó a la ciudad: momias de Faraones con sus
joyas y sus sarcófagos.

Allí, en vitrinas, viven en medio de su pueblo, y sus
cuerpos, inmóviles e insensibles, no dan señales de
sensación alguna, como cuerpos sin vida, y permane-
cen tan impasibles como las gigantes estatuas de cara
plácida, sonrientes y atrayentes al que los mira, y dominando en puesto de honor el inmenso edificio adonde han ido a parar todas las curiosidades de las épo-
cas faraónicas.

Allí la nodriza y el marido de la que amamantó al
gran Ramsés dejando ver sus cabellos completamente
blancos, amarillosos, adheridos al cráneo; fueron enterrados en la misma tumba del padre de Ramsés: el
rey Setí.

Recuerdo simpático de los dueños absolutos a la
que ayudó a vivir al hijo amado.

El gran Ramsés II, alzada la cabeza del sarcófago

de granito y la mano izquierda levantada y separada del pecho, parece indicar aún alguna orden muda del que supo dominar, conquistar y elevar a su patria a gran altura.

¡Dormid ahora, en verdad, tranquilos! Ya no vendrán ladrones a buscar vuestros restos, para arrancaros las prendas con que ibais adornados al morir. Dormid tranquilos, y si en lo misterioso desconocido poseéis una individualidad que os permite tener conciencia de esta existencia, gozad en vuestro triunfo; vuestros cuerpos salvos, vuestras joyas salvas, y vuestra memoria y las páginas que dejasteis escritas en la historia de vuestra patria, quedan eternizadas por la civilización moderna, que os dará, a los que fuisteis grandes y buenos, respeto y consideración, y los que manchasteis la historia con vuestros crímenes recibiréis una condenación más cuando alguien, al recordar vuestros hechos, diga aunque sea muy quedo: «Fue un criminal.»

Nuestra peregrinación por las tierras del Nilo concluye, y al marchar, hijos de una tierra cuya existencia ignorasteis, os dejamos sin llevar con vuestros recuerdos la esperanza de repetiros: «Hasta la vuelta.»

Cada parte de la tierra tiene para nosotros un monumento típico que lo caracteriza y lo dice tan pronto se le ve: Egipto quiere decir Pirámides, Esfinge.

Hacia el Nordeste de la ciudad del Cairo, mirando hacia Sudeste, se alzan las Pirámides principales, guardadas aún por la Esfinge. El grupo más importante, el de Gizeh, se compone de tres mayores; fijémonos en la de Cheops, *La Brillante*. Su tamaño es de 137 metros de altura vertical; base, 227 metros; altura en plan inclinado, 173 metros.

Y abandonemos las descripciones de las *Guías*, que pueden suministrarnos descripciones precisas, pero de

completa aridez para nuestra imaginación, a la cual
dejamos libertad para pensar, figurarse o crear cuanto poéticamente puede serle agradable.

En coche tirado rápidamente por una pareja de
trotones árabes, se llega hasta un edificio del gobierno, y a una rampa, con muros a los lados, que habrá
de conducirnos a las arenas.

Un par de camellos que no se cansan de gruñir
nos balancean de adelante hacia atrás, para ponerse
de pie, y tomando el ronzal, vamos acercándonos al
coloso de piedras inmortales.

Levantad la cabeza y confundid su cima con el azul
intenso; acercaos y su sombra os protegerá del sol, y
cuando sintáis que la admiración os embarga al contemplar esa tumba de reyes, dejad que vuestra alma
calle.

Andad un poco más, descubríos, a pesar de los rayos del sol; miradla frente a frente: he ahí la Esfinge.
Su mutilada cabeza sonríe, y a pesar de las rasgadu-
ras, y a pesar de lo deteriorado, sentís simpatías por
ella. Su silencio os molesta, y quisierais que aquella
piedra, que ha visto tantas generaciones, tantas tempestades humanas, tantos huracanes de la Naturaleza
cuya furia, tal como la de las arenas en oleaje y lluvia, no ha podido abatirla, os dijera algo, os repitiera
lo que debió escuchar, os refiriese lo que sacerdotes,
astrólogos y magos debieron, en íntimo conciliábulo,
comunicarse, en las paredes de granito de su templo,
de los secretos robados por el estudio a los dioses
creadores del Universo, y os hablase del Cosmos tene-
broso y gigantesco y... ¡calla, y calla!

El camello gruñe a más y mejor, y parece incomo-
darse de que a él, el animal servicial y fuerte, lucha-
dor victorioso del desierto, salvador del viajero en las
grandes planicies de arena, se le mortifique por dar-

les gusto a curiosos que no lo conocen ni le estiman bien. El árabe nos llama, y descendemos la cuesta con la esperanza de volver cuando la luna, en toda su magnitud, bese a los gigantes del desierto. «Muy bonito con luna», nos dice en francés nuestro guía, y hacemos formal propósito de volver, porque la luz del sol, las arenas en que nos hundimos, el calor intenso, no nos permiten pensar ni discurrir como la fantasía lo anhela: hay que aguardar.

Llegaron los días en que la luna llena, amarillenta como las arenas de donde se levanta, hizo su aparición en el Cairo, y aguardamos con deseo vehemente las nueve de la noche, para alcanzar su mayor radiación, y nos encaminamos a cumplir la palabra empeñada con la Esfinge y con el árabe.

Esta vez trepamos la cuesta rápidamente, cabalgando en un asno bien enjaezado y de paso suave, al cual el freno no daba descanso.

Galopamos al llegar a la planicie, nos dirigimos hacia la Esfinge victoriosa, nos descubrimos con veneración, como en lugar sagrado, y llegando hasta su base, dejando la mirada vagar por los efectos que producen los rayos lunares, brillantes en las partes salientes y negros en las concavidades, reclinando la cabeza en la roca, y mirándola intensamente, en toda la intensidad que el deseo y la insistencia pudieran producir, le habló nuestra alma, dominada por la belleza de la luna y el desierto, de las estrellas y las Pirámides en íntima exclamación.

Y el alma, libre y poética, habló así: «Cuando el sol con todo su esplendor sobresalía por las Pirámides en lo alto y besaba las arenas que te sirven de alfombra en lo bajo, nada nos expresó tu rostro mutilado; pero de noche, a la claridad de magnífica luna llena, cuando los cuatro puntos cardinales te envían aire del Norte y del Sur, de donde el sol se levanta y de donde el sol desaparece llegando hasta la gran Pirámide de Cheops, que con las otras más pequeñas te escolta, nos acercamos de nuevo a ti, en tus pies apoyamos nuestra frente, te interrogamos, te miramos serenamente, y ahora, embellecida por la luz que te da relieve, te vemos mirando a la inmensidad con la misma enigmática sonrisa secular en los labios, y te interrogamos con vehemencia, y te rogamos que respondas a los peregrinos de la vida lo que anhelan conocer.»

Y cerrando los ojos para reconcentrar la idea, exclamamos: «Gracias, ¡oh! gracias, nos has hablado.» Y nuestra imaginación nos dijo: «Soy Esfinge para los que llevan la duda en el alma; repara, espera; mis ojos te dicen, inmóviles y fijos en el espacio: «Más allá»; mi sonrisa te explica mi seguridad y mi esperanza en la redención del alma humana. Y yo, que soy de piedra, vivo eternamente; y tú, hombre, vivirás también eternamente en lo que ves y en lo que no ves. El hombre creó el misterio, el misterio engendró la duda, ésta la negación después. ¿De qué se queja, pues? Si el hombre no ha sabido leer en el tiempo, si no ha sabido descifrar el espacio, si no ha sabido descorrer el velo, como lo hicimos nosotros, ¿a quién culpar?».

Abrimos los ojos; la luna rielaba hermosamente; las estrellas, pálidas por la claridad y la sonrisa de la Esfinge, parecían indicarnos en lo infinito un punto que desaparecía en un azul negro, donde desaparecía el Nilo, se confundía la tierra con el espacio y se apagaban los rumores de la ciudad vecina.

¡Evolución y redención, ruedas gigantes y eternas! ¡Gracias, Esfinge!

PALESTINA

I

La Palestina, la tierra de los recuerdos cristianos, donde surgió una doctrina de paz y fraternidad entre todos los hombres, y en nombre de la cual sus presuntos intérpretes y guardadores no se cansaron de verter sangre y de imponerse por la fuerza, en vez de hacerlo por la persuasión y el amor consagrados por el martirio de su fundador, se nos aparece muy de mañana por una línea cenicienta, que el sol borra a poco, haciendo aparecer montañas y edificios encastillados en lomas: es Jaffa.

El vapor *Assouam*, balanceado por mar muy gruesa, echa, por fin, el ancla fuera de los arrecifes, y hay que tomar las lanchas para desembarcar. Allá vienen, manejadas por ocho remeros que, a cada golpe de remo, casi se ponen de pie, apoyándolos en los bancos para dar mayor impulso y obligar al esquife a que vaya acercándose al vapor.

El mar está irritadísimo, y gruesas olas juguetean con el vapor y las lanchas: es un barullo de marineros para tomar la delantera y apoderarse del pasaje; vamos bajando la escala; dos marineros nos agarran de cada lado para evitar la caída; la lancha sube y baja a merced de las olas, que rompen violentamente contra el casco del vapor; hay que evitar que se estrelle el pequeño contra el grande; de pronto, y sin darnos cuenta, unos brazos nos toman por la cintura, nos levantan, nos cargan, nos lanzan a otros brazos, y nos encontramos tirados en uno de los bancos del lanchón, atolondrados y estrujados por los que nos han colocado allí. No hay que perder tiempo, y un impulso nos separa del vapor, los remos caen al agua, y el timonel, de pie, comienza un canto que nos suena así: *Jelé, jelé,* al cual responden uniformemente los que reman: *Ayé, ayé,* o *jelé, jelé,* cuyas entonaciones quieren decir: *Que Dios nos ayude; que nos auxilie Él.* Y tan pronto en lo profundo, tan pronto en la cresta de la ola, vamos atravesando el alborotado mar que nos permite llegar lentamente, abrigadas las rompientes por unas rocas, a un muro de piedra y unos cuantos escalones, y pisar tierra: tanto cuesta frecuentemente desembarcar en la tierra de Cristo.

¡Quizás el mar junto al cual fue encadenada Andrómeda, libertada por Perseo, y en donde Jonás permaneció tres días en el vientre de una ballena, nos saludaba con su acento más fuerte, rugiendo con el viento y chispeando en las rocas, para indicarnos que llegábamos a la tierra que ha dado origen a creencias que han rugido en la conciencia humana, como rugen las aguas, creando tempestades, como el viento produce huracanes!

Venían en el vapor más de treinta sacerdotes de distintas religiones, y desembarcan de la misma manera que nosotros. Apenas en tierra, tomamos un coche, arrastrado por una pareja de caballos, y pasamos por callejas sucias, tortuosas, alguna bóveda, por entre puestos de frutas, carbón, cacharros, cafés, y a

lo largo de la calle, a la sombra, moros, griegos, turcos, plácidamente sentados como en el Cairo, arma-
dos de los tubos de goma de la cachimba que reposa
junto a ellos, y aspirando con delicia el humo del ta-
baco que se purifica y limpia al pasar por el depósito
de agua.

Poco hay que ver en Jaffa; visitamos rápidamente
el convento ortodoxo griego de San Jorge, situado en
el mismo lugar en que San Pedro resucitó a la musulmana Lydda, mujer cuya muerte lloraba la comarca
por su gran caridad, milagro que realizó el apóstol a
ruegos del pueblo, y por el cual hecho se convirtió
Lydda al cristianismo después.

Nuestro hotel, muy moderno, muy limpio, muy original, no tiene numeradas las habitaciones; estamos
en país hebreo, y la historia bíblica nos evita los números poniendo un nombre a cada habitación; Esaú,
Leví, Esachar, Eliezer, Job, Ibrahim, Benjamín: el
nuestro es Miriam.

En una saleta de escribir hay un altorrelieve de
Cristo; no es Cristo, es Jesús, joven de dieciocho años,
adolescente, niño todavía, con toda la belleza de la
carne y con toda la belleza del rostro del que aun no
sabe qué es el padecer. ¡Cuánta y cuánta atracción!

¿Habrá querido significar el artista que el Jesús,
el ideal, es siempre nuevo, y que existe siempre, puesto
que la poesía, el arte, la belleza son imperecederos en
la tierra? ¿Es la imagen del joven Jesús la del eterno
soñador, que así sueña todo joven al pisar los umbra-
las del mundo?...

Atravesamos unos callejones pestíferos, para llegar a la casa de Simón el creyente; y allí, en una ha-

bitación *que él habitó*, compramos un búcaro para agua, igual a los que se usaron en tiempo de los apóstoles y se usan aún hoy día: esto no varía ni en manufacturas ni en artífices.

A las tres tomamos el tren para Jerusalén; va despacio; atravesamos campos de naranjos; llanuras verdes, cubiertas de azahares que embalsaman, y grandes campos de caña de azúcar, pertenecientes a la comunidad llamada del «Templo», que persigue el fin de regenerar a la Iglesia y a la sociedad, restableciendo el reino de Dios sobre la tierra, y principiando por la *Tierra prometida*, para después llegar a Europa, y de allí al resto del mundo.

Al principio, manchas de olivares y frutales, chumberas y grandes higueras, viñedos y trigales, adornan uno y otro lado del camino y concluyen luego por completo; pasamos por entre cuestas y más cuestas de colinas áridas y pedregosas; luego, alguna recua de camellos, algún caminante a pie, detrás de su asno, es el único espectáculo hasta cerca de Jerusalén.

Y pensamos, al ver el camello cruzar el semidesierto, seguirle el asno, y el tren dejarlos detrás, y los postes telegráficos de la ruta, que hay dos civilizaciones que se codean, se unen, marchan juntas, pero aun no les han llegado la hora de compenetrarse, de fundirse en un solo tipo, y van andando libre e independientemente, sin estorbarse, según sus necesidades, sus ideas y sus costumbres.

Dos hermanas de una asociación católica vienen en nuestro departamento del tren; van a un entierro. Charlan, se ríen, y después de un largo rato se persignan, toman su rosarios y se ponen a rezar. De ahí a un instante, la que tiene trazas de superiora se queda dormida, y la otra continúa en su rezo, indiferente la que duerme, indiferente la que reza.

Jerusalén nos recibe triunfalmente por azar: el nuevo Pachá llega en el tren que nos conduce, y los acordes de la banda militar turca, haciendo los honores al gobernador, son para nosotros también; y las fuerzas del ejército, y los personajes, y la inmensidad del pueblo, incluyendo judías y griegas, y turcas cubiertas, que vienen a mirar, nos miran como novedad exótica, no siendo esta la época de los *touristes*, sino en el invierno; y hoy, día 23 de julio, es también día de fiesta y de manifestaciones, en celebración de la Constitución del imperio otomano.

En Jaffa nos fue servido a los postres un almíbar que resultó ser miel de abejas, tan transparente, tan dorada, tan sabrosa a flores, que comprendimos entonces el porqué de las alabanzas a la miel híblea de los antiguos dioses, y cómo y porqué el pueblo de hace diez mil años podía vivir de frutas y de miel, como el de hoy vive de miel y de frutas.

Antes que a nada —y así lo hicimos, y hablaremos después de ello— debíamos rendir un homenaje al Santo Sepulcro, lugar de todas maneras sagrado, aun sabiendo que su historia está plagada de inexactitudes, por lo que en sí representa para el culto, para la adoración al que supo morir y enseñar misericordia y perdón.

Por calles que no son calles, sino vericuetos y pasadizos, y después de atravesar una cuesta, acompañados de un genízaro, servidor de un consulado, que impone respeto por el uniforme y el sable, y por ser también costumbre de un homenaje que está impuesto, llegamos a la mezquita que se levanta en el lugar que ocupó el templo de Salomón: la mezquita de Omar.

Al exterior, una explanada inmensa con grandes baldosas; en el centro, la fuente para abluciones, de columnata de mármol; a lo lejos, el Mar Muerto, una campiña desolada y el polvo del desierto sirviendo de neblina; abajo, amontonadamente, edificios viejos y modernos: Jerusalén; y a un lado, mirando por un hueco, infinidad de sepulcros, que por la altura desde donde se les mira parecen piedras arregladas simétricamente; es el valle de Josafat.

Vayamos a la mezquita: se nos ponen y atan las babuchas, saludamos con una inclinación de cabeza, entramos; nuestros pies hollan alfombras, una obscuridad medio luminosa parece polvo de luz que se esparce por las columnas, las bóvedas y el recinto, y el oro brilla en versículos y arabescos en la alta cúpula, haciendo juego con las labores de mosaicos; las ventanas chispean claridad por entre miles y miles de mosaicos que la reflejan; los mármoles de distintos colores, en gruesas y pulimentadas columnas de dorados capiteles, dan claridad también, y el silencio, y el misterio, y la hermosura se apoderan de nosotros, nos penetran y nos hace exclamar atónitos ante tanta belleza, con un recogimiento sagrado: «Señor, Señor, ¿hay en la tierra obra más maravillosa que esta obra de los hombres?».

Y aceptando el arte en su soberbia manifestación con una de las más hermosas manifestaciones del alma, sentimos verdadera religiosidad en la casa de Alá, que lleva el nombre del compañero del profeta Mahoma: Omar.

Allí no hay más que mosaicos, mármoles y oro. Arriba, una faja azul, con versículos blancos que se destacan armoniosamente; la cúpula cruzada de admirables dibujos, versículos también en oro y rojo; en el centro de la mezquita, una reja dorada a fuego, o de oro macizo, circunda el *sancta sanctorum*, que encierra gran roca bruta que contrasta con tanta ri-

queza, puesta a cubierto del toque de los humanos,
pero más rica para el creyente musulmán que la piedra más preciosa entre las más preciosas: es la piedra
en que Abraham iba a sacrificar a Isaac: vocación de
Abraham. Se enseña en una cripta las huellas dejadas
por los pies de Mahoma al subir al cielo y la bóveda
abierta por donde pasó el cuerpo: se conserva y guarda el lugar en que oraba Salomón, el sitio en que el
califa Omar hacía lo mismo, el rincón donde se sen-
taba David, y después el lugar privilegiado para orar
el creyente mirando hacia la Meca, y cansados los ojos,
y la imaginación fatigada, abandonamos, deslumbra-
dos, el edificio al cual constantemente acuden los fieles, verdaderos creyentes, a cumplir sus devociones.

Bajo la mezquita, unas columnas de piedras que
abrigan galerías y más galerías que se extienden en
todas direcciones, son consideradas como las caballe-
rizas y granero del que llaman los mismos musulmanes el santo rey Salomón.

En la mezquita hay una baldosa, negra y blanca,
que tiene enterrados dieciséis clavos, cuyas cabezas
brillan por el pulimento que reciben de las manos que
las tocan; eran diecinueve, han saltado por sí solos
tres, y es tradición musulmana que cuando no quede
ninguno, será señal de que el mundo finaliza.

Después de ver lo que fue emplazamiento del palacio y templo de Israel, se debía llegar al sitio donde
fueron depositados los cadáveres de sus reyes. Todo
es aquí un conjunto de cuevas, y sin que representen
en sí nada extraordinario, la cuestión está en descender escaleras, entrar en bóvedas subterráneas y mirar cavidades vacías: en esos huecos se redujo a polvo lo que quedaba de dueños y señores.

Edificado Jerusalén en colinas unidas entre sí por
otras más altas o más bajas, y juntas, y todas ellas

pedreras de fácil extracción, comenzaban seguramente los primitivos habitantes por cavar para obtener la
piedra necesaria para sus fábricas; hecha la excavación, quedaba ésta convertida en parte del edificio
que había de levantarse: si bajo el nivel de la calle,
habitaciones en sótanos; si sobre el nivel, era el alto
con relación al sótano que, a su vez, a nivel de otra
calle, era casa corriente con frente a una calle. Las
calles, lo que se entiende por calles, puede decirse que
no existen, y las casas no tienen numeración tampoco.
Los muros de piedras son cercas que abrigan a muchas casas, y a las cuales da acceso una puertecilla;
las casas modernas tienen un tramo de calle, y las demás escalones para subir o rampas para bajar o subir.

Dentro de la población, en un edificio reconstrui-
do naturalmente como iglesia, está la piscina y lugar
en que fue resucitado Lázaro, y de las excavaciones
efectuadas, y que se piensa continuar haciendo, han
sido extraidos objetos y restos de edificios romanos,
con los cuales se ha formado un pequeño museo.

Era ya tarde ese día tercero de nuestra estancia
en la Ciudad Santa, y el sol se ponía; el polvo blanco
lo llenaba todo, impulsado por el aire fresco que so-
plaba, y cubierto de él estaban el sendero, los muros
y los olivos e higueras al borde del camino que lleva
al monte de los Olivos. Verídico o no, ¡con qué placer
se contemplan los viejos, retorcidos y ahuecados troncos de árboles seculares que quizás vieron lo que ima-
ginativamente vemos hoy! Este monte, en posesión de
la iglesia ortodoxa rusa, tiene erigida una iglesia en
los mismos lugares en que la tradición refiere que oró
Jesús fervorosamente, dispuesto al sacrificio o vaci-
lando, como vacila la materia en el momento supremo en que, impulsado por el ideal, va el hombre a re-
solver problemas que aguijonean su alma. Jerusalén,

inconsciente del que se determinaba a romper antiguos moldes, a traer amplios ideales y a esparcir con una inmensa misericordia una era de libertades que concluyese con el fariseísmo sacerdotal y diese dignidad a la mujer por su belleza, su debilidad y su amor sin límites de madre, era hervidero de discusiones y de distintas interpretaciones de la ley escrita, que debía sujetarse estrictamente a la letra, no sentía ni comprendía más que aquello que se le había enseñado; pensar de distinto modo era un crimen; y volviendo nuestro cerebro a los momentos de angustia de aquel corazón sencillo y atribulado, nos colocamos junto a la rejilla que impide sea pisoteada una piedra en que Jesús debió llorar al reclinarse en ella, pidiendo fuerzas para su humana y natural flaqueza, y que en su frente, al chocar, debió sentirla más blanda que el corazón de sus hermanos.

En esas piedras están impresas las huellas de los pies de María, que había ascendido a los cielos en cuerpo y en alma también, hecho confesado por los apóstoles que lo habían presenciado, menos Santo Tomás, y sobre esa piedra dejó caer su cinturón la madre de Jesús, desde el empíreo, desvaneciendo con ello las dudas del apóstol.

Las áridas montañas continúan hasta perderse donde alcanza la vista, con ralos mechones de verdura en las partes bajas o en las pequeñas planicies de cuestas, y se cierra el horizonte en el Mar Muerto, con la línea de polvo y de rayos de sol que envuelven en una gasa a la Naturaleza que nos rodea, como si la tierra aquella reflejase en los espacios un nimbo resplandeciente de luz intensa.

La puerta del templo ruso estaba abierta de par en par; un sacerdote oficiaba; las santas mujeres servidoras del templo, de rodillas, acompañaban la ceremonia, vestidas de negro, con delantales blancos y un birrete negro, y respondían con dulce entonación, de tiempo en tiempo, besando el suelo: *Uatsemaní*, a los acordes muy tenues de un pequeño órgano.

En el mismo monte, pegado casi al templo ruso, una pequeña mezquita guarda otras importantes reliquias. ¡Y las guarda un musulmán!

Nada dicen las paredes de la mezquita, nada deben decir. Una roca clavada en el suelo enseña la impresión de dos pequeños pies; un turquito pasa por ella un ramito de albahaca y nos lo entrega: *De aquí Jesús subió a los cielos*. Mirábamos la piedra admirando cómo la tradición se clava en el corazón del hombre, lo mismo que el tiempo formó las huellas que se veneran; el *cheik*, jefe de la mezquita, contemplábala también, su rosario giraba de cuenta en cuenta entre los dedos, y señalándonos su pequeña vivienda nos indicó que pasáramos a ella.

Allí nos mostró el lugar de sus oraciones y su lecho: una estera. Salimos al pequeño corredor, y al entregarle una moneda como propina, lo cual es costumbre, nos la devolvió diciéndonos: «No». «¿Por qué?». Nos hizo sentar y que aguardásemos, pues nos recibía en su casa y quería obsequiarnos con café. El *cheik*, sacerdote guardador de la mezquita, es un anciano de más de noventa años, de gran santidad musulmana y de barba y cabellos completamente canos. Mostrándonos su barba blanca y señalando nuestro bigote nos dijo: *Somos dos viejos*, y nos estrechó la mano.

Y estos dos párrafos siguientes son enteramente íntimos; dejar de anotarlos, sería faltar a la narración de las impresiones recibidas. ¡Y fueron tan gratas y han quedado tan impresas en nosotros!

Una niña musulmana, de unos diez años de edad,

obsequió a Elvira (1) con un pequeño ramo de flores silvestres, y a poco apareció otra con la bandeja y tres tazas de café, dos para nosotros y una para nuestro dragomán, guía e intérprete. ¡Excelente café, sólo comparable al de nuestra tierra! En conversación preguntóle a Elvira que cuántos hijos tenía, y al responderle que nueve, púsose de pie, llevó la mano a la frente, después al corazón, y colocándola luego sobre la cabeza de Elvira, de pie también, exclamó por tres veces: ¡Alá! ¡Alá! ¡Alá! enviándole el soplo de las palabras pronunciadas, y la bendijo, murmurando sus temblorosos labios una larga oración a Alá, de quien Mahoma es el profeta. ¿Por qué?

Misterios inexplicables que hallamos a cada paso en nuestra excursión en esta tierra de Oriente: en Egipto y en Jerusalén. Se dice: «Esta es tierra de propinas constantes; turcos y árabes sólo viven de esto.» Y a nosotros no se nos admite, se nos regalan flores, se nos trata con cariño por gentes que debían mirarnos de reojo por el traje que llevamos y que significa para ellos herejes, como creen que así son ellos tenidos por todo occidental. ¡Herejes! ¡Ellos que se consideran los verdaderos creyentes!

El sol besaba el horizonte, el muecín se preparaba a subir al minarete para proclamar, en la hora de la oración de la tarde, a todos los vientos, que no hay más Dios que ¡Alá!; hacía sus abluciones junto a un pozo, y nosotros dejábamos al viejo musulmán, llevando en nuestras manos un rosario, procedente de la Meca, que nos dio como recuerdo: «¡Larga vida os dé Alá, a vosotros y a vuestros hijos!» Y estrechadas las manos con la veneración que se experimenta por un anciano respetable, descendimos la cuesta y volvimos a la ciudad.

---

(1) Elvira Cape de Bacardí.

El aire fresco del ambiente pareció moverse en átomos de vida; partículas doradas y azulosas parecían
nadar en la atmósfera, invadiendo con tintes suaves
los contornos de aquellos lugares, y llevábamos el
alma ligera por las impresiones del arte árabe que
nos invadía, por los sentimientos de respeto religioso
que nos infundían los lugares vistos y por la sensación original del viejo musulmán, que adivinando quizás en nosotros nuestras creencias de libre pensar, no
odiando ni creyendo un culto superior a otro, nos im-
puso sus manos e hizo que bajáramos la montaña con
una tranquilidad que nos daba la idea de una luz interna vagando en torno nuestro, como la luz del sol
desaparecido bañaba todavía los olivos y las cuestas
con sus reflejos...

II

Hay un templo edificado sobre ruinas de otro templo del pasado, que se llama de Sión: está manejado
por mujeres, que deben ser tenidas por santas mujeres de Sión. ¡Y en verdad que son santas! No hay templo sin gruta, y la de éste, situada en una de las estaciones, se dice que es el lugar en que Pilatos se lavó
las manos.

Una obra de redención verdadera es la que tienen
esas sirvientas católicas: educan, instruyen, enseñan.
Trescientos niños y niñas se encuentran en sus aulas,
siendo los internos huérfanos, y ¡oh asombro positivo! por vez primera escuchábamos estas frases de
unos labios católicos y de una hermana religiosa, sin
haber preguntado ni dicho nada: *Nuestros discípulos*

*son de cualquiera religión; no les inculcamos ninguna
idea de religión; casi todos son israelitas, y hay algunos musulmanes entre nosotros.* «*Nous ne les ame-
nons pas a la confesse*», fue una de sus frases: *Tenemos el corazón para todo el mundo, sean judíos, sean
turcos. Aprenden todo lo que hay que aprender, incluso costuras y bordados; todo el que tenga hambre,
que venga a nosotros.*

Ante esta institución, que repitiendo las palabras
del soñador de Galilea predica y cumple con la frase
del Evangelio: *Dejad que los niños vengan a mí*, que
ejerce la caridad sin preocupaciones ni cortapisas, salimos exclamando como única alabanza, brotada de lo
hondo del corazón: «¡Benditas seáis, mujeres santas
de Sión!».

Recorriendo parte de la ciudad con el genízaro que
nos había acompañado a la mezquita de Omar, dijí-
mosle que deseábamos hacer una visita a una casa ju-
día, no de gente rica, y nos condujo a la de una señora ya de edad madura, cuyos hijos se encuentran tra-
bajando en Panamá.

Después de pasar por vericuetos extremadamente
sucios, bajar y subir peldaños, pues aquí casi todo
ello es así, nos sorprendimos entrando en una casa
sumamente limpia, lavados los pisos, blanqueadas las
paredes; nos acompañó una mujer musulmana cuyo
rostro cubierto con el velo negro, no se vio; fuimos
en coche hasta donde pudo llegar éste.

La dueña de la casa, muy expresiva, diciendo algunas palabras en español, vestida con una bata ceñida,
nos saludó, llevando la mano al corazón y después a
la frente: *Salamtak* —nos dijo al entrar—, *¡Mer jaba-
bak!* (¡Sed bienvenidos!). Nos brindó café, galleticas,
caramelos y confites. Nos habló de sus hijos, que eran
su esperanza, y a los cuales aguardaba para dentro de

un año. Al despedirnos, puesta la mano derecha de nuevo sobre el corazón y la frente, nos dijo: *Bicatercem* (Os doy mi adiós. Dios os guarde).

III

Desde el balcón del *Gran New Hotel*, frente a la Torre de David, convertido el foso en un pequeño mercado, contemplamos la diversidad de trajes, la variedad de frutas; todo se vende al peso, desde los higos chumbos hasta los brazaletes de oro. Un caballito de unas cinco cuartas a lo más, bien enjaezado y muy limpio, está impasible, atado a una argolla, a la sombra de las murallas, desde las seis hasta las doce de la mañana; el dueño, seguramente empleado de un lugar cercano, no debe ser árabe, sino de nuestra raza, y el animal, sin impacientarse ni comer, aguarda la hora en que volverá al establo.

Unas cuantas mujeres agrupadas al pie de una pared, que junto al hotel da acceso a una de las tantas callejuelas, venden leche o huevos cocidos al horno. Hay una con cuatro hijos; al verla tan amorosa con ellos, y que saca del seno un pedazo de pan que reparte por igual entre los tres mayores, le tiramos unos confites y unas uvas, que recibe en su manto blanco. Durante nuestra estancia en Jerusalén ya tenemos nuestra pobre especial a quien socorrer, y nos dicen del hotel que es una infeliz cuyo marido gana muy poco, como la generalidad: no pide limosna, y para la mujer hay poco o ningún trabajo en esta ciudad.

Le decimos que marchamos al día siguiente, y suponiendo que sería por la mañana, desde las seis aguarda en la calle con sus hijos y su madre, para despedirnos y darnos las gracias una vez más. La hacemos subir a nuestra habitación, y apenas llega nos toma la mano derecha, nos la besa y la lleva a la frente, señal de respeto y gratitud. Habla con sus tres hijos mayorcitos, de tres a siete años, y hacen lo mismo que la madre, siendo graciosísimo ver al más pequeño acercarse riendo y saltando, besando nuestras manos y llevándolas a la frente; se van al balcón y quieren encaramarse a la baranda. ¡Primera vez que se ven tal altos! Socorremos a la madre con algo más y le preguntamos su nombre: *Gamila*, y nos agrega el dragomán que este nombre quiere decir *linda*. Y efectivamente, debe haber sido muy bonita mujer, pues ajada por el trabajo, conserva rasgos muy bellos. Se le saltan las lágrimas al despedirse otra vez, besando repetidas veces nuestras manos; piden nuestros nombres, les damos nuestras tarjetas, y quizás han terminado para ellos los cinco días de paraíso en la tierra que, por casualidad y simpatías, les hemos podido proporcionar, y piden a Dios nos dé bueno y feliz viaje y larga vida.

Cruzan por la calle jóvenes seminaristas griegos, moros, turcos, árabes; camellos, asnos, coches, carros de cuando en cuando; mujeres fantasmas vestidas de seda negra y la cabeza y el rostro cubiertos con manto y velo negros: son turcas; otras, lo mismo, con tela de seda morada, azul o verde, y el velo negro o blanco, son siríacas que, aunque pudiendo andar descubiertas, consideran aristocrático el vestir así; y mujeres del pueblo descubiertas, campesinas medio beduínas, con alguna pintura azul en la cara como adorno elegante, y con ropajes, aunque viejos, admirables por sus colores y su confección. Todo el mundo es arrogante aquí; en general, lo son los hombres, y las mujeres, por lo que se puede ver de ellas, indican que son bellas y de ojos amplios: tipo italiano siríaco, que no en vano habrá dejado el antiguo romano su sello en el país después de los años de posesión. Los beduínos jóvenes, sucios, llegando del desierto con sus armas de fuego, sus camellos tostados y de color de cedro por el fuego del sol y el calor de las arenas, tienen tipos de belleza varonil, y se engalanan con otras ropas al pisar las calles.

Se ven también, sin que se compenetren, como van las aguas de un río hacia abajo, unida cada molécula o átomo formando la corriente, sin que se estorben uno al otro, andando arriba y abajo, el fraile, los ministros protestantes, el griego, el armenio, con sus diferentes trajes, y codeándose con el judío particular, que ha adoptado un uniforme feo y sucio: un sombrero chato de castor negro, un levitón hasta los pies, ceñido o no a la cintura, raído y viejo, naturalmente, barba desaliñada y cabellos largos, o cortados al rape por detrás, dejando dos mechones o bucles largos y lacios que caen de ambos lados junto a las orejas, y que es del peor efecto y lo más antiestético y repugnante.

Jóvenes seminaristas griegos, de no agradable aspecto, con el cabello largo hasta los hombros, en algunos atado en forma de moño de mujer, con desaseo general que acaso crean necesario para indicar que están desligados del mundo, de toda atracción terrenal y consagrados solamente a las cosas espirituales y a la vida de ultratumba; aunque mejor sería que vivieran como eremitas, encerrados en una de aquellas tantísimas cuevas, y no anduvieran por las calles charlando y riendo entre sí, con ese aspecto de bohemios que, a la postre, viene a ser igual al tipo bohemio de

París, gandules o muy tontos o muy pillos, con aspecto de santos los unos y de tontos los otros, y en el fondo sucios y puercos por naturaleza y por conveniencia y con el cerebro vacío de toda idea que valga algo, lo mismo para las creencias que para la humanidad doliente.

No se dirá que no hemos recorrido de la Palestina cuanto al cristianismo se refiere; hemos querido identificarnos con ella, hemos querido vivir con la tierra, con las gentes, con las iglesias, con sus lugares santos, y vamos como el que, perdido un ideal, ansía verlo renacer o encontrarlo dondequiera que pueda ser hallado.

En coche vamos a Betlehem: hay que visitar el lugar en donde vino al mundo el Redentor. La iglesia que encierra esos lugares se encuentra en poder de tres ritos: griego, latino y armenio; los armenios poseen pequeñísima parte, señalada por una estera en forma de triángulo, cuyo ángulo recto es la esquina de una pared de la iglesia, dejando así franco el paso de los demás.

Fuimos a la cripta, y allá abajo, en la casi completa obscuridad en que nos hallábamos, resonaba de manera especial el canto grave y sonoro de los frailes que, en procesión, cumplían en la iglesia con una de sus prácticas diarias, y fue de magnífico efecto el verlos, cubiertos con su capuchas y con sus cirios después, recorrer las naves de la iglesia, yendo hasta el altar mayor, donde caían de rodillas.

Siguiendo por la cripta, que es una excavación natural que se comunica entre sí por obscurísimos pasadizos, y llevando una candela encendida, pues las lámparas no bastaban con sus luces para alumbrar esos lugares, nos dice el guía: «Aquí amamantó la Virgen a su hijo. Aquí se escondió durante cuarenta días, an-

tes de partir a Egipto. Este es el lugar de San Jeróni-
mo. Esta es la sepultura de San Sulpicio.» Y descendimos escaleras, y recorrimos pasillos, y subimos y
volvemos a salir de la iglesia antigua, con columnas
de granito y que conserva alguna parte de sus viejos
mosaicos.

Y oyendo rezar, y mirando las ceremonias de los
frailes, dedicados a entonar salmodias constantemente, nos preguntamos: «¿Qué gana Dios con esto, y qué
gana la humanidad con ello? ¡Ay! que no nos salva-
rán, si hemos de salvarnos, todos los cantares ajenos
cuyos ecos no traspasan las bóvedas de piedra si no
los acompañamos, por nuestra parte, con la bondad
de nuestras obras.»

¿Y ellos, qué ganan? Creada una segunda naturaleza, contraídos esos hábitos, vivir en la impasibilidad
de la materia y de las almas muertas, convertido en
una cosa que ni siente ni padece, y como la bestia de
la recua, comer cuando se le indica y caminar cuando
el arriero la estimula; ir como el camello, mirando
siempre, hasta cuando reposa encogido, con la cabeza vuelta hacia donde está el sol, que es la guía del
animal, esclavo del hombre, imitarle, y esclavizado vo-
luntariamente, mirar al sol, que no comprende jamás,
y en su beatitud, suponer al divino Cristo autor de
una vida inútil e incapaz de progreso. ¡Él, que ha sido
el germen de grandes progresos y libertades!

Y nuestra vida es andar por las callejuelas abun-
dantes en bazares, cubiertas por bóvedas en algunas
partes, puercas, porquísimas, llenas de puertas, en
cada una de las cuales hay venduta de ropas, de mirra,
de imágenes, de frutas, de hortalizas, de carnes, de joyas; puestos de zapaterías, de perfumes, de refrescos,
de fumadores; sitios de cocinas y de cafés, de cuanto
existe en el mundo. Y en esas estrecheces, subiendo y

bajando, dar paso a asnos cargados y a hombres cargados como asnos, es de lo más interesante que hay
para el que ama el color, el arte en sus manifestaciones pictóricas, por más que hay que mirar al suelo,
para no ensuciarse al andar junto a los muros de los
edificios, y por más que el mal olor os haga exclamar
¡puah! muchas veces.

En ese andar y desandar con el dragomán y la cá-
mara fotográfica, topamos con una musulmana del
campo, acompañada de otra. Como gente del campo
y de clase baja, estaba descubierta, y al ir a ponerse
sobre la cabeza la carga de efectos que había compra-
do, le hice ofrecer un franco —que es mucho aquí, y
más le hubiera dado— para que se dejara fotografiar,
y con una rudeza salvaje, volviéndose enérgica, respondió arrogante a mi dragomán: «¡*Mabajeb-bech!*»,
(¡Jamás!), pero con una entonación y resolución tales, que dejó sentado una vez más que una musulmana, según el rito, no debe dejarse retratar; y después,
hablando con la compañera, mujer al fin, volvió la cabeza y en son de burla, quizás, se rió, enseñando dos
hileras de dientes unidos y parejos, y dejando ver sus
grandes y magníficos ojos con cejas y pestañas pobla-
das. Era una verdadera belleza, dorada al sol, y de fac-
ciones vivas por la juventud y el carácter. El traje era
amarillo con anchas listas rojas y otras estrechas, de
otros colores, y por esto, como por un manto blanco,
amarilloso por el uso, que le caía de la cabeza a ambos
lados, me hizo sentir, como un dolor real, el no haber
logrado mi objeto: ¡una lástima de acuarela perdida!

En manos de los musulmanes está lo que se deno-
mina la tumba de David, y efectivamente, guardado
por una gran reja, se nos indica un sarcófago de piedra que ocupa casi todo el fondo, esterado al piso, y
éste y el sarcófago cubiertos completamente de pa-

ños y banderas descoloridos por el tiempo. Hay un subterráneo, cripta o cueva, al cual no pueden descender más que los musulmanes. Nuestro dragomán, Ayadd, nos pide permiso y disculpa por este hecho, y abierta una puerta con cerrojos, va a hacer una corta oración, acompañado del guardián de la tumba.

Entre los lugares a cuyo contacto sentimos más intensamente está el huerto de Getsemaní; allí se condensa toda la pasión. Entre los pocos olivos que aún sobreviven se sintió abatido el hombre; su naturaleza, débil aún, como la de todo mortal, sintióse doblegada por cruel congoja; las ideas, violentando su cerebro, hiciéronle vacilar, y sólo su inmensa caridad, pródiga de amor para todos, decidió la victoria en pro del sacrificio.

Gigantesco olivo tiende sus ramas, rodeado de flores y de plantas aromáticas, que al cuidado de fray Julio se mantienen lozanas y vivaces; todo es esmero, todo es cuidado. Retorcidas las ramas del árbol secular, su tronco, en una circunferencia de diez metros, se ahueca, se divide, se retuerce como brazos entrelazados por el dolor; son como nervios crispados que se alzan, para cubrirse de hojas y frutas, y el árbol testigo mudo del drama y del pasado, parece hablarnos de la desesperación del que se sentía vacilante entre el dolor de la materia y la aspiración del alma; el sacrificio era inevitable para el triunfo del ideal, y el triunfo se imponía.

Las estrellas titilaron y besaron con luz dulcísima de la inmensidad la frente que, adherida al leño, sudaba agua y sangre, y con amorosa tristeza debieron decirle: «¡Es preciso!».

La corteza dejaría impresas sus huellas en las carnes que se juntaron con fuerza a ella para mitigar el dolor interno con otro dolor externo más rudo, pero no más amargo, y en verdad que el alma debió exhalar el grito de angustia que la tradición nos cuenta: «¡Aparta, Señor, esta copa de mis labios!». Y debió llorar con toda la desesperación con que una madre llora al ver morir en sus brazos, de muerte violenta y repentina, al único hijo que nació de sus entrañas.

Entonces no había flores como ahora; los pedruscos de la tierra caldeada, el polvo blanco, la cuesta constante, los olivos aquí y allí, el cielo azul intenso, el Mar Muerto en el lejano horizonte, las estrellas por todas partes, Jerusalén abajo, las murallas y los cementerios al frente, el templo de Salomón dominándolo todo, y en la variedad de los objetos, allí un individuo que bambolea, que tropieza, que mira y no ve, y que con trabajosos pasos va cuesta arriba y va solo, sin mano amiga que lo guíe, solo, sin frase que le aliente, y a quien todo parece enojar y estorbar.

Abstraído por completo, llega a la abertura que está en la roca, obscura y negra más que la conciencia de los fariseos de antaño y de hogaño, y con los brazos cruzados sobre el pecho, la ropa talar arrastrada, descalzos los pies, la cabeza caída, goteando lágrimas y dando al viento sus supiros, se pierde en los recovecos de la gruta, para hacer su examen de conciencia, examen de conciencia del mundo entero.

Ha de llamar a la verdad, y la verdad ha de brotar de sí mismo y no del humano consejo. Las paredes de la caverna debieron resonar con hondos sollozos, las manos debieron crisparse, el pensamiento, abismado, debió imponerse la resolución inquebrantable de no rehuir la muerte, de ir a la muerte; y en la gruta de la agonía, transparentada el alma, los labios debieron pronunciar resueltos: «¡Esto es hecho!». Y una serenidad inefable y tranquila de solución de la existencia invadió el rostro, dándole aspecto sublime, y dejando en aquellas cavidades todas las ilusiones que hacen agradable la existencia, al asomar el sol por las tierras de Jericó, para inundar con sus rayos el espacio, aparecería transfigurado a sus discípulos, con la serenidad del héroe, el mártir que se resuelve al sacrificio en aras de una gran redención, y les dirigiría frases de cariño y de perdón que, incomprensibles entonces, habían de transformarle a él, en el andar de los tiempos, en un Dios único de bondad y misericordia.

El huerto de Getsemaní y la cueva de la agonía están al cuidado de dos frailes: uno francés, otro italiano. Ambos de mirada límpida y serena, ambos limpios y de hablar apacible, conservadores de ambos lugares, que tienen esmeradamente entretenidos y aseados. La tranquilidad del campo, las plantas con sus flores, en aquel aislamiento relativo, solos con el recuerdo, parecen una excepción de otros, fray Julio y fray Sebastián se hacen agradables y simpáticos, enseñan, acompañan, discuten, y explican y no aceptan pequeñeces de cosas que se dudan. En manos de esos dos frailes, el jardín, por una parte, y la cueva, por otra, donde hay solamente un altar, están llenos de un misterio conmovedor y sencillo, como sencillos se nos aparecen esos dos fervientes servidores de un culto. Una inscripción del tiempo de las Cruzadas, en uno de los muros de la cueva, le da más prestigio al lugar.

La leyenda del judío errante «¡Anda, anda!» puede aplicarse a todo el que llega a Jerusalén con ansias de ver y no tiene tiempo bastante para detenerse cuanto quisiera: hay que seguir, no descansar.

A las cuatro de una madrugada, ya clareando, tomamos el camino de Jericó, para llegar al Jordán; el camino, bastante bueno al principio, tornóse malo al final, y el sol, suave al comenzar, fue ardiente des-

pués; nuestro coche quedó convertido en una estufa,
pero no hay remedio, hay que seguir, hay que sopor-
tarlo y sufrirlo todo, y no desesperar por la reverbe-
ración de las cuestas de tierra blanca que hacen la
ruta verdaderamente desagradable.

En el camino se visitan el lugar y la cripta en que
Jesús resucitó a Lázaro; el lugar que está indicado
como tal, casa de Marta y María, en donde le gusta-
ba descansar y platicar con las dos hermanas, está en
ruinas, y desde allí se ven los restos de la habitación
de Simón el leproso.

Más allá, en un barranco, se destingue la caverna
en que vivió el profeta Elías, recibiendo el diario sus-
tento del pico de un cuervo, por orden de Dios. Hay
que escribir lo que se nos dice, y hay que señalar ese
lugar abrupto, en cuyo fondo corre un hilo de agua,
que verdea, como con una cinta de esmeralda, el fondo rocalloso y estéril al principio.

Un llano desapacible, dejando a la izquierda a Jericó, nos conduce al decantado Jordán, río que, con
bastante caudal de agua, fertiliza una gran vega. Junto
a la orilla una familia de pescadores, con una pequeña huerta de frutales, habita en ese rincón, ganándo-
se la vida con la pesca y con el transporte de pasajeros a través del río.

Subimos en una lancha, cuyo nombre *María Juana*, aparece escrito en un costado con letra arábiga, y
remontando la corriente llenamos botellas de agua, hacemos abluciones lavándonos las manos, la cara y la
cabeza, y volvemos a la orilla, en tanto que siguen corriendo tranquilas las turbias aguas, que nada nos indican de lo que allí pasó, de la institución del bautismo, a pesar de los árboles que sombrean las márgenes como lugar de descanso, y porque no hay siquiera
una piedra que lo indique: bajar a las aguas es entrar

en ellas hasta la cintura o hundir los pies en el limo fangoso de las orillas.

En Jericó nos enseñan el manantial del profeta Ezequiel, que, de salado que era, lo convirtió en potable, tal como existe hoy, y el cual surte a la población del indispensable líquido.

Antes de llegar al Jordán, y lejos, a la mitad del camino, hay un apeadero para descanso de los que pasan; en el patio se encuentra un pozo: el de la Samaritana, pozo sin brocal y sin poesía, y cuya agua, que es fresca y buena, se extrae con una lata de petróleo vacía, feo detalle que nos arrebata las dulzuras del recuerdo.

El terreno de Palestina, a los menos la parte que rodea a Jerusalén, desde grandes distancias, es de base rocallosa, calcárea una parte, y otra de lajas graníticas, lo que ha dado por resultado que apenas el obrero, como resulta hoy, sigue la veta de la piedra que ha de extraer, va formando una cueva, que queda preparada admirablemente con galerías y sostenida la bóveda por columnas naturales. Como quiera que las lluvias son pocas y rarísimas, no hay temor a derrumbes ni humedades. Junto a Getsemaní, en el mismo Monte de los Olivos, hay una de las tantas que pululan por todas partes, y esta gruta es conocida por la de la tumba de la Virgen.

Hay que bajar, y esto es regla general, infinidad de escalones; el sacerdote griego que cuida este sitio pertenece a la Iglesia ortodoxa, enciende unas velitas y nos da una a cada uno, para poder distinguir algo de lo que se va a mirar. En forma de altar, sobre cuya losa hay unas dieciocho lámparas colgantes, encendidas, se señala la tumba de la madre de Jesús, y siguiendo el orden en que están situadas, a ambos lados de la iglesia subterránea, nos dice el sacerdote: *La sepul-*

tura de San José; la de San Joaquín; la de Santa Ana,
y de otros más, y aun contemplando con respeto esos
lugares, con la impresión que producen el silencio, la
soledad, la obscuridad, la atmósfera que allí se respira, nos decimos: «He aquí santos no bautizados y a
quienes se adora en altares cristianos.» Y al chocar la
claridad exterior con nuestros ojos, y siempre Jerusalén asomando por dondequiera, dejamos este último
lugar, fatigados por el polvo, que es atmósfera natural, polvo blanco que de todo se posesiona, como blancos están de huesos las sepulturas de los muertos;
todo blanco, como las ideas que los verdaderos cristianos tratan de infundirle a la humanidad...

IV

El tiempo ha corrido tan rápido como nosotros; no
nos hemos dado un momento de reposo, era preciso
visitar cuanto se podía y dado el límite de nuestra estancia en la ciudad capital de los judíos; esperábamos
el viernes, día que debía marcársenos con las impresiones supremas que esperábamos recibir. A las tres
de la tarde de cada viernes, una procesión recorre la
Vía Dolorosa, haciendo parada en cada estación.

Nos habíamos propuesto no escatimar ningún esfuerzo; habíamos ido a Jerusalén con ansiedad curiosa, queríamos sentir, y penosamente o no, bajo los rayos de un sol abrasador y por asquerosas callejuelas,
cumpliríamos con el anhelo; y así, siguiendo a un grupo de peregrinos nos colocamos junto a la puerta del
cuartel turco, aguardando las tres en punto.

La Vía Dolorosa la queríamos seguir de estación en estación, excitar nuestra sensibilidad; íbamos con el deseo vehemente de hallar una fe, de encontrar una conciencia que se nos escapa en el vaivén de las contradicciones religiosas.

Los sacerdotes, frailes franciscanos, es a los que corresponde dirigir la marcha; llegaron más gentes, otros sacerdotes católicos y algunos griegos, y pasando por la puerta de un cuartel vemos una baldosa granítica, en el patio, que indica la primera estación: dos pequeñas hendiduras en la roca indican los primeros pasos. Nos arrodillamos como los demás, como los demás nos descubrimos, y escuchamos atentos la voz del fraile, que dice: «Prima estación.» y repetimos la parte del rosario, e hicimos cuanto pudimos para abstraernos totalmente. Y no latió el corazón, no se conmovió el alma con piedad religiosa; esa piedad no podía penetrarnos, no estaba en ninguna parte, no surgía del grupo que, corriendo más que andando, rezaba y se postraba: todo era mecánico. Frailes y curas de distintas religiones se agregaron más tarde, mujeres con diversidad de trajes, y algunas con contrición bastante, y un viejo haraposo, verdaderamente impregnado de su fe, que ni mira a parte alguna ni levanta la vista del suelo, va arrastrándose a la cola de la comitiva.

Abre la procesión un genízaro con uniforme, sable y bastón, esto último como una especie de látigo, genízaro encargado de facilitar el paso; los soldados turcos contemplan con indiferencia la ceremonia; en el camino no se inquietan por aquello los musulmanes que, en sus tenduchos, siguen charlando y fumando, y no sabemos si los judíos que nos ven pasar nos maldicen en su interior; unos niños ríen, un asno, cargado de latas llenas de agua, tropieza con nosotros, y el

genízaro le impide seguir; en la calleja hay que dejar
en el centro un burro cargado de madera, que no puede seguir ni le es posible volverse, y concluimos los
pasos en la iglesia del Santo Sepulcro; nos dan velitas encendidas, y continuamos en el séquito bajo las
naves, yendo al lugar en que el Cristo fue despojado
de sus ropas, el sitio de la elevación de la Cruz, piedra
en que fue ungido el cuerpo, y por último el sepulcro.

Las campanas se echan al vuelo, las campanillas
repican, la voz de frailes sacerdotes de todos los ritos
se deja oir, y frente al Santo Sepulcro ofician en la
capilla griega, y más allá, en la suya, los armenios.

Y sintiéndonos vacío de todo y palpando lo que es
este templo, no podemos menos que decirnos triste y
descorazonadamente: «Hoy, como ayer, el Hijo del
Hombre no tiene donde reclinar la cabeza; antes vivo
y hoy muerto, ni en la tierra ni en el corazón de los
hombres.»

El Cristo faltó en toda la Vía, y sólo se escapa de
nuestros labios, como un grito del ideal del Mártir
contra la realidad utilitaria: «¡Esto se acaba!».

En una tarima, a la entrada, a la izquierda del templo de los grandes misterios cristianos, están recosta-
dos unos soldados turcos, guardianes conservadores
del orden interno, perturbado a cada momento por
los cristianos de las distintas sectas. ¡Ministros cristianos! ¡Ministros que pueblan el templo, que son pro-
pietarios de él, y están en rivalidad constante y en
constante riña!

No ha mucho que uno, no quisimos saber de qué
rito, hirió a otro en la misma iglesia, porque el aseo
de un lugar le pertenecía a su culto y no al del adver-
sario.

Los soldados se encogen de hombros ante nosotros,
y uno de ellos duerme inalterable en tanto que pasa-

mos. ¿Qué les importa el culto cristiano, si no logran hacer sus adeptos un solo cuerpo, una sola alma?

Y la suciedad de las columnas, y el abandono y el mal estado de la cúpula y del piso, y el olor a humedad y a cárcel desaseada que nos aprieta la garganta, nos hacen fijarnos en que aquello, donde todo se disputa, es un lugar más grande que los pequeños bazares de ropas, de carnes, de cacharros, de frutas, instalados a lo largo de la Vía Dolorosa, pero más lucrativo, mucho más que esos tenduchos puercos y sucios, como son sucios y malolientes los judíos en ellos instalados.

Las estaciones aparecen señaladas con números romanos escritos con tinta en las paredes, con excepción hecha de la de la Verónica, que tiene una capilla, y la de Simón Cirineo, que posee una lápida de mármol, con dos manos en relieve, unidas y apretadas.

Con grandísima pena vemos todo esto, y vamos siguiendo hasta el final, y nuestro dolor es como el que se experimenta al ir de acompañante de algo muy grande que se va, de una idea que muere y de una fe que se eclipsa.

Los sacerdotes no creen; guardadores de las iglesias, son como los sepultureros de los cementerios que, habituados al cadáver y a las operaciones del sepelio, no experimentan sensación alguna ni en bien ni en mal ante los despojos de uno que fue.

Gentes amoldadas a un reglamento que se convierte en una segunda naturaleza; máquinas de carne y hueso que van y vienen a compás de un ritual sin alegría ni padecimiento. Ríen cuando hay que reir, charlan si hay que charlar. ¡No lloran jamás, que las fuentes de su corazón están secas! Y lo que es peor, usando los instrumentos y las máquinas que la libertad ha puesto en manos del hombre civilizado, relojes, luz eléctrica, ferrocarril, telégrafo, no cesan de maldecir esa libertad una y otra vez, por boca del pontífice máximo del imperio católico: Roma.

¡Oh Cristo mártir! La Iglesia que se dice tuya está cada vez más lejos de ti y de tus doctrinas, como lejos tiene que estar de ti el que te falsea proclamándote Dios.

La fábula, fantasía que se divulga de lo que fuiste y predicaste, subsiste como moneda cotizable en los bazares que llevan campanas en las altas torres y cruces en los pináculos de los techos.

Hay un símbolo al que se echa mano como el más preferido: la cruz. ¿Por qué no perdonar como el Cristo, y representarle siempre lleno de juventud, lleno de gloria, lleno del ideal predicado, y no siendo como el objeto principal del suplicio, siempre en el dolor, siempre en la crucifixión, cuya gran importancia es, como la de todo sacrificio voluntario, hacer grande al hombre abnegado que se entrega en holocausto, en tanto que se le desnaturaliza si se le convierte en Dios?

Pintar siempre el sufrimiento, no mostrar sino el padecer, es no escuchar la palabra de Jesús, que parece decir: «¿Por qué olvidáis la voluntad de mi alma, la alegría de mi corazón, inagotable en dulzura para todas las generaciones; por qué tomáis siempre el lado triste, lo malo, la maldad, y no me representáis con los niños, con los pájaros, con las flores y con la mujer, encarnación de la santidad y de la pureza más hermosa cuando llega a ser madre?».

¡Cristo, tu obra está perdida, tu sacrificio ha sido inútil! Tus congojas han sido llevadas por el viento, y confundidas con el polvo del desierto, no se distingue si son graníticos los átomos o son lágrimas tuyas las que ruedan con esos cantos, casi imperceptibles, vidriados, con los cuales juega el aire. Repara todas

las iglesias; son obras arquitectónicas, y lucen en sus
magnas fiestas vestiduras recamadas de oro y piedras
preciosas, y el lugar en que reposó tu cuerpo, el centro
de tu credo, se avergüenza al mirar a sus escuelas cubiertas de gala, y tú harapiento y descolorido. El rito,
la forma oficial impuesta, ha destruido el ideal de Jesús; la divinidad que han querido imponerte ha sido
hecha pedazos por la corona de espinas, que en ninguna parte se encuentra, por la creación de la Trini-
dad, las sepulturas de toda la Sacra Familia y el anta-
gonismo de los sacerdotes; y tú, que debías irradiar
más y mejor que el astro rey en esta tierra, cuyos habitantes, como sus camellos, comen polvo y beben sol,
has disminuido de tal manera, que no se te encuentra
en ninguna parte.

¡Qué tonto el que se figura que su religión es la
única buena! Y vese aquí al *hereje* musulmán respe-
tar a Jesús, y al herético consentir en su tierra, con
tolerancia admirable, ritos que no se le consentirían
a él en otras tierras.

De Oriente es la luz, y Occidente viene a tu tierra,
¡oh Jesús!, en busca de puras doctrinas, con el alma
vacía y el corazón inútil. Desde las naciones más ro-
bustas hasta las más decadentes, de todos los confines de la tierra vienen muchedumbres a visitarte, y
besan con ternura la losa de tu sepulcro.

¿Habrán llegado los días, o se señalan en lontanan-
za los tiempos en que las doctrinas del Hijo del Hombre, perdidas dentro de la mundial idolatría, de los
que te predican negándote con sus obras resurjan, y
exclamen las gentes: «Mesías, el mundo vuelve a ti;
nadie te seguía y todos te buscan de nuevo»?

¿Es simplemente ver piedras, campos estériles, mirar estatuas antiguas, ruinas interesantes, descubrir
sarcófagos de Faraones, descifrar jeroglíficos lo que

hace recorrer tierras orientales? No. En esa curiosidad, excitada y aguijoneada incesantemente por la avidez de saber, de conocer, falta algo que la ciencia, encerrándolo todo, aún no ha llegado a enseñar ni a definir en absoluto: que aquí se concluye todo. Podrá ello ser cierto, pero el cariño, el amor, hace que se ansíe que los que nos hemos amado una vez sigamos amándonos dondequiera.

Grito de desesperación lanzarían las almas atormentadas por la duda si la fe ciega no les mostrara vislumbres de una vida eterna, la esperanza que las conduzca al no ser con la serenidad y la calma que se escapan.

Jesús, te hemos buscado y te buscaremos. ¿Adónde te has ido? Y al ahondar en las excavaciones de las ruinas, decimos pensando en ti: «Verdad, ¿dónde te albergas?».

Exclamación que se pierde en el vacío, grito de las generaciones con ansia de que exista un más allá, clamor de la humanidad que se lanza a todo correr hacia la caldeada Palestina, hacia los antiguos Faraones, hacia la Grecia culta, foco de la belleza, y que te dice a ti, creador de la misericordia infinita, despertador de nuestra esperanza, repitiendo una de tus frases milagrosas, de rodillas y mirando hacia la bóveda estrellada: «¡Lázaro, resucita!».

V

¿Puede existir una colectividad sin ilusiones? ¿Puede un pueblo permanecer inactivo, limitándose a vivir pordiosero en su misma casa? Esto, que creeríase imposible, subsiste en el pueblo hebreo.

Y no es que se quiera hacer firme lo que se llaman las profecías y aceptar que la maldición de Jesús pesa sobre los judíos de manera abrumadora, no; es que la prosperidad de los pueblos nace de sus propias energías, es que la prosperidad se debe al labrador que arranca años tras años sus óptimos frutos a la madre tierra, no dejándola abandonada jamás.

No quedará de ti, Jerusalén, piedra sobre piedra, como no ha quedado, y mucho menos de otras ciudades de la antigüedad; pero prestarse la leyenda a maldecir por boca del Justo, por toda una eternidad, a un pueblo, es como profanar la memoria del que en su agonía exclamó: «Perdónalos, Dios mío.»

El pueblo judío, después de vicisitudes sin cuento, de invasiones y de dominaciones, ha continuado siendo un pueblo trashumante, pastor; persiste en él el hombre de vida holgazana y contemplativa que, detrás de su rebaño, va recorriendo con tranquilidad musulmana sus agrestes colinas, guareciéndose a la sombra de un pedrusco, cuando el sol achicharra, o acostándose boca arriba, abrigadas las ovejas por un muro o una caverna natural, y siguiendo con la vista las estrellas hasta que el sueño se apodera de él.

El hebreo comienza por hallar más grato llamarse judío: hasta en esto se siente la relajación de su alma.

Hebreo levantaría un tanto su moral, pero judío es el
tipo de la degradación. Cuando veáis un hombre que
va de prisa y no hay nada que lo apure, y le veáis llevar un pequeño sombrero de castor negro, una levita
o bata que le llega a los pies, ceñida a la cintura por
botones o una faja, la cabeza pelada al rape, a excepción de dos mechones de cabellos lacios que le bajan
por las sienes hasta la barba, barbudo o no, decid:
«Es un judío.» Y fijaos en algo más: el sombrero está
sucio, la levita sucia, descolorida y raída; los zapatos
no han sido limpiados desde la primera vez que se
usaron, y están gastados y con remiendos, y todo su
conjunto, todo su aspecto es el del miserable, no os
mira u os ve de reojo, y presto a tenderos la mano
para pedir una limosna, no os quepa duda: es un
judío.

No le habléis de trabajar la tierra, no le saquéis de
su establecimiento pequeño y ruin, no separéis de sus
manos que aguardan la moneda la balanza con que
pesa la mercancía. Su naturaleza, en Palestina, sólo es
apta para tener un tenducho abarrotado de objetos he-
terogéneos, en la callecica de un bazar que es casi una
pocilga.

Su abatido espíritu trae consigo, años tras años, la
conformidad de esa existencia actual; es la herencia
del yugo romano, sufrido por sus antepasados, y sólo
emigrando varía de traje, de costumbres y de ideas.

Las Escrituras, que los rabinos, como sacerdotes
al fin, tienen buen cuidado de mantener a la letra,
han incrustado en su alma una esperanza que no
llega: la venida de un Mesías; y a pesar de la rebeldía que se experimenta al verlos tan decaídos moral
y materialmente, cuando llega el viernes por la tarde
no es posible no conmoverse, y se siente inmensa piedad por esos desgraciados que, con verdadero dolor,

apegados a un pedazo de muro de la antigua ciudad, oran fervorosos a Jehová; y por esas mujeres, a quienes los años han encorvado, y que ponen la boca en las piedras y derraman lágrimas y exhalan desgarradores sollozos que, por las junturas entreabiertas, van a perderse en las rocas en que se apoyan las murallas. Cuando se pierden toda fe, toda esperanza, todo ideal, es imposible toda rehabilitación, toda redención.

Habréis de renacer tres veces —dicen las Escrituras— *para que podáis entrar en el reino de los cielos.* Y decimos nosotros: «Para que seais hombres» tenéis que absorber la savia nueva de los diversos pueblos que conviven en vuestra tierra, y rusos, alemanes, franceses e ingleses, cultivando como van vuestros valles y planicies, inundados de misiones, con hospitales, escuelas y templos nuevos, os harán ver que el Mesías de los pueblos está en la energía y en el patriotismo, y no en libros más o menos novelescos, corregidos y ampliados, desde antes de Jesús hasta nuestros días, por los que consideran al templo como un mercado en el cual todo se facilita, todo se explota, todo se vende.

¡Adiós, Jerusalén, tú serás!

....

Cerca de nuestro hotel hay una tiendecita de víveres. ¿Quién es el dueño? No lo sabemos. Detrás del mostrador se mueven, despachan las mercancías y reciben el dinero dos frailes con sus hábitos completos, incluso la capucha, que, caída sobre los hombros, deja descubierta la cabeza con su correspondiente cerquillo. *Este establecimiento es particularmente para los católicos* —se nos dice. Miramos un rato, sonreímos y murmuramos—: «Lo dicho, dicho: *¡Bussiness!*»

EPILOGO

UNA GOTA DE MIEL

Va a quedar detrás de nosotros Oriente, con su espléndido sol, con su tierra de maravillosos recuerdos, con su Nilo histórico y caudaloso, con sus *dajabías*, sus datileros, sus sufridos camellos, sus asnos pacientes y sus caballos de cañas duras y cabeza y ojos vivos. Allí van quedando, como espejismos del desierto, Tebas y Louxor, los Faraones y sus momias, las Pirámides y las Esfinges; las mezquitas de cinceladuras como encajes y de pinturas y mosaicos hermosos como cielo estrellado en noche de diafanidad de zafiro; allí vamos dejando al egipcio, al árabe, al musulmán y al beduíno, con diversidad de trajes pintorescos y de tipos arrogantes, de mirada que sonríe, como sonríen sus labios mirándonos pasar sin recelos de bárbara intransigencia religiosa, libres los cultos en tierras de herejes, aunque cree el musulmán que la suya es superior: *No hay más Dios que Alá, y Mahoma es su profeta.* Allí las mujeres, envueltas en negras vestiduras, de andar cadencioso y ondulante como sus palmeras cimbradoras al aire sutil, y cubiertas con la *felagina*, dejando vagar ojos negros y curiosos que os dicen que, si sonreís, ellas también os sonríen con las pupilas. Tapados los labios, os dejan adivinar, cuando las contempláis, con natural vanidad mujeril, que son bellas y seductoras, pero sólo para lucirles a ellos, sus celosos dueños, permitiéndoos precisar que hay rica sangre bajo la tez ambarina transparente, y que esas manos menudas saben, en sus hogares, para no aburrirse, tejer maravillosas labores de oro y seda y con cuantos colores encarna la luz; y luego, en los bazares, os seducen, inundando vuestro corazón de deseos que vuestro cerebro ahoga. Allí desaparecen, quedando como un ensueño, minaretes, perfumes, flores, tapices, joyas, todo lo que el hombre roba y copia a la pródiga Naturaleza. ¡Adiós, alegre Alejandría; adiós, severo Cairo; adiós, pintoresca y sacra Jerusalén!

Cuando arribamos a Alejandría, se nos presentó un árabe ofreciéndonos sus servicios de dragomán, guía e intérprete de estas tierras; hablaba el inglés, el francés, el italiano, el griego y, naturalmente, el árabe, y aceptados sus servicios, indispensables en este país, partimos con él para el Cairo y Port-Said, para tomar allí el vapor que debía llevarnos a Jaffa, desde donde seguiríamos a Jerusalén.

Ayadd, correcto, inteligente y de modales cultos, es un libro abierto que nos va relatando, de calle en calle, de monumento en monumento, ya en tierra, ya en el Nilo, la historia de lugares y de reyes, de Jesús y de Mahoma, de Abraham, de Omar y de Ramsés, de Cleopatra, de Alejandro y de los Césares; y Ayadd posee algo más quizás que otros guías; es un ferviente musulmán, creyente cumplidor, patriota, que rinde culto amoroso a su tierra y a los que la poseyeron antes, con fe en el porvenir de Egipto y con una amplia idea en el pensar, aceptando que se le refiera lo que hay de bueno en cada religión, y cómo los hombres descomponen y pervierten en su propio beneficio las ideas más santas.

Al llegar a Jaffa, en el hotel, cuajado de huéspedes, aquel día —como resulta a la llegada de los vapores—

nos tocó estar sentados en mesa aparte, donde ya almorzaban una señora y dos señoritas que hablaban inglés, y resultaron ser norteamericanas.

Sin presentación no es correcto ni posible, a veces, dirigir la palabra a quien no se ha conocido antes, y las reglas de *bienseanse* convierten, días y más días, a vecinos de una mesa y de un mismo hotel en estatuas o autómatas, si no ha precedido la presentación indicada.

Llegábamos a los postres, y sirvieron dulces, queso y frutas de la estación, y entre los quesos uno frescal, blanco, digamos *queso criollo*.

Verlo, mirar al dulce y sentir la reminiscencia del comer cubano, fue todo uno. Pusimos el «blanco manjar» en el plato y hubimos de aguardar al mozo para pedir el dulce que no se encontraba a nuestro alcance, y el mozo, ocupado en las idas y venidas de tanto comensal, no llegaba, y la impaciencia nos dominaba.

En castellano nos lamentábamos de la espera, y nuestras miradas convergían al codiciado dulce, sin osar decir: «Señora, ¿tendría usted la bondad de pasarnos ese plato?», cuando, ¡oh agradable sorpresa!, sea por adivinación del pensamiento, sea por haberse fijado en nuestras ansiosas miradas, la señora, sin decir una palabra, pide a una de las señoritas el dulce y nos lo pasa con ligera inclinación de cabeza.

«¡Gracias!», fue lo que dijimos. Y dentro del asombro aquel saboreamos «dorada, rica y sabrosa» miel de abejas, cosecha especial de la Palestina, miel libada sólo en los azahares que embalsaman todos los alrededores de Jaffa, con sus campos de naranjos sin fin.

Y la miel aquella, titulada hoy *a drop of honney*, ha sido causa de una amistad afectuosa y sincera.

Cada cual yendo por su camino, nos encontramos en el tren, y cada cual, al llegar a Jerusalén, nos hallamos en el mismo hotel, y entonces, ellas y nosotros, cambiamos saludos, y presentándonos nosotros mismos trocamos nuestros conocimientos en amistad que las circunstancias debían estrechar fuertemente.

Mistres Rice, miss Margaret Rice y miss Gladys Lupher, de Filipinas, Japón y China arribaban a Jerusalén, para conocer la Tierra Santa. Juntos fuimos encontrándonos en la mezquita de Omar, en el Santo Sepulcro, en Betania, y juntos recorrimos la Vía Dolorosa, y quizás experimentamos juntos las mismas *discretas* sensaciones... ¿Qué personas instruidas para quienes la lectura no es una especie de *magister dixit* no ven las cosas tales como son, y no como se quiere que ellas sean?

En Jerusalén acuerdan unirse a nosotros y seguir para el Cairo, Louxor, y recorrer del Egipto lo que nosotros recorramos. Y de aquí la alegre intimidad que resulta por las peripecias de un viaje accidentado en contacto con objetos y gentes originales.

Margaret Rice (Maud) no deja descansar su aparato fotográfico, y con verdadera habilidad toma copias magníficas; muy instruida, ocurrente y sencilla criatura, a quien la juventud sirve para hacerle agradable todo lo que ve, refiere anécdotas de su viaje al Japón y a China, como nos hablará luego de Ramsés y de los dioses de Egipto.

Mí no sabe, repite a ratos, y con la confianza adquirida, le preguntamos: «¿Qué quiere decir?».

Y nos cuenta que en China las barcas que transportan los pasajeros a tierra tienen pintados en la proa un ojo y un letrero que dice:

> *No can see, no can sabe*
> *no can sabe, no can makee bussiness*
> *no can makee bussiness, no can makee money*
> *no can makee money, no can do.*

Y nos reimos grandemente por su manera de decir y luego por sus ocurrencias refiriéndonos las pequeñeces anecdóticas que encierra en su memoria, con las palabras y los dichos de cada idioma.

Gladys Lupher es más seria, menos niña, rubia y de inteligencia cultivada. Todo le es fácil, y su naturaleza, que parece frágil como un junco, soporta las fatigas de las excursiones con admirable fortaleza; la primera en cabalgar, la primera en dejar libres las riendas de la pequeña «asnal cabalgadura» para que vaya a todo correr, levantando el polvo de los arenales, e importándole poco el que el sol la queme, robándole la blancura de la tez, que toma el color obscuro de la de los hijos de la tierra.

Todo es risa, ésta resuena a cada instante, y la pequeña expedición se ve obligada a detenerse por el sinnúmero de árabes que ofrecen *antiques*, objetos encontrados en las viejas sepulturas de los cementerios, puestos al servicio de la curiosidad extranjera y explotados por los que necesitan algún dinero en su parca manera de vivir.

En Louxor el aire fue irrespirable; el calor convertía en hornos las habitaciones y las calles; el tocar una silla, un mueble cualquiera, era como poner las manos sobre un objeto colocado al rescoldo, y para dormir hay que tenderse en el balcón saliente, como los habitantes lo hacen en los rincones de las calles y en las plazas, o bien estar hasta las tres de la madrugada sentados y conversando como si fuese de día; no es posible creerlo, ni es explicable si no se siente.

Se habla en las *Guías* con consejo que asusta: «¡Cuidado con los árabes!». «¡Aseguraos de lo que lleváis!». Y se llega a esta tierra con el natural temor infundido por tanta exageración, y nos cabe decir, aun exagerándolo también en sentido contrario: «¡En

Oriente no se roba!». Los establecimientos con sus
efectos amontonados hasta el medio de la calle; el público numeroso que tropieza con todo a la vez que lo
contempla y lo toca; las mercancías examinadas libremente por el comprador, dejado a solas con ellas, son
pruebas más que suficientes de la bondad de las
gentes.

¡Un backhish! (algo dennos), exclaman pobres y
muchachos, y aunque reiterada la petición con una
sonrisa y con la mano extendida, esto nos obliga a dar
una pequeñez, a pesar de que las autoridades ruegan
a los *touristes* que no acostumbren al pueblo a esa limosna, *que es vergonzosa y degradante para el pueblo
que la recibe;* circular que honra a las autoridades
egipcias y que debería servir de ejemplo a los occiden-
tales, que parecen no comprender esa alteza de miras
ni sentirla tampoco.

El árabe conserva la caballerosidad que es fama
caracterizó a los abencerrajes de Granada, y es aún
el mismo tendero hospitalario en sumo grado, y no
dejará de brindaros café, aunque no le compréis nada,
y abanicos a las señoras, con afabilidad y cariño.

Cosa curiosa: el mercader no es envidioso, y no experimenta disgusto porque no se le compre y se vaya
al vecino, y esto es hijo de las fórmulas del Corán,
que os dice: *Conformaos, y que Alá ayude al vecino.*
Quizás el *estaba escrito* es causa de ello.

La caridad es ejercida en Egipto de manera eficaz;
diariamente hay sorteos de pequeñas loterías locales,
cuyos fondos, intervenidos por el gobierno egipcio, son
para auxiliar a las diversas asociaciones de beneficen-
cia, practiquen el culto que practicaren. Los billetes
están redactados en árabe, francés e italiano, y una
de esas loterías lleva este hermoso lema: *Non merito*

de nascere chi visse sol per se. ¡Qué lección para tanto egoísta que vive sólo para sí!

....

En Jerusalén teníamos cerca del hotel *un reloj árabe y uno cristiano*, y de aquí que hubimos de acostum-
brarnos a no hacer caso de ninguno de los dos, pues,
en su materialidad reglamentada, parecían empeñados
en turbarnos con sus toques. Seguían en esto las lu-
chas de los hombres: cuando el reloj cristiano sonaba
su campana y daba sus toques, el árabe, a poco, hacía
lo mismo, pero con toques distintos: claro, el uno
cuenta los días de 24 horas, el otro considera el día
en 12 horas y 12 horas a la noche, siendo las seis de
la mañana, con poca diferencia, la una del día.

En Louxor son invitadas señoras y señoritas de
nuestra expedición a visitar a la hija de un rico personaje, Mahomed Ayadd, primo de nuestro dragomán,
recién casada con un apuesto árabe, que habla el inglés, el francés y el italiano.

Nos cuentan que, hasta cumplido el año de matrimonio, no podrá Nafisa salir a la calle, aunque naturalmente cubierto el rostro con la *felagina*, que así lo
estatuye la ley, y agrega el esposo que le está enseñando el italiano, porque piensa llevarla a Europa, y
que mientras esté en Occidente llevará trajes europeos.
Dice el padre Mahomed, que Nafisa es la niña de sus
ojos, su única hija, a pesar de poseer cuatro esposas,
que no le es posible dejar de verla diariamente, convirtiéndose así en guardián y celador para ver cómo
la trata el esposo, y añade con franca risa: «Supon-
gan que la *vendí* por 250 libras; uno del Cairo me
daba doble, mucho más rico; pero no hubiera podido
verla como ahora, y no acepté. No haciéndome falta
el dinero, esa suma la he empleado toda en joyas». Y,

efectivamente, mostró esas joyas, sus trajes y sus tapices.

Vestía aquella joven árabe, de dieciocho años de edad, elegante túnica azul, estilo Imperio, con el escote bajo, dejando casi ver libremente sus dos pechos juveniles; de color ambarino claro es su epidermis, ligeramente coloreada por el carmín, y sus ojos negros juegan con sus cabellos que, en dos largas trenzas, tejidos menudamente con monedas de oro que cuelgan de cada guedeja, le llegan casi hasta los pies, y destilan luz a cada movimiento, y tintinean al chocar las monedas entre sí, a la cadencia del cuerpo que se cimbrea sobre los breves pies, encerrados en ricas babuchas de hilos de oro y perlas; brazaletes de oro aprisionan los tobillos, cubiertos por caladas medias de seda, y completan su gallardía y su belleza magníficos collares de oro que, rodeando el cuello de cisne en tres o cuatro vueltas, caen hasta la cintura de esa violeta que vive escondida entre tapices, manjares y búcaros cargados de flores.

El lecho es de madera tallada, sostenido el cielorraso de seda azul por cuatro columnas torneadas, y un cobertor, de color de zafiro, lleno de bordados, cubre la cama y las almohadas, y caen y se arrastran sus largos flecos por los tapices con que está alfombrado el piso. Tres escalones, forrados de seda y encajes, permiten alcanzar el trono, dosel o baldaquino a Nafisa, la primera en el rico palacio-harén, y quizás la única, si el amor del esposo no mengua, y madre ella más tarde, sabe encerrar al ser amado en una red de mallas sutiles, en la cual quede aprisionado, a su vez, el padre de los futuros hijos...

El aire que se respira enerva, saturado de esencias, de perfumes de fragantes rosas y blancos nardos, y la fuerte claridad del sol se rompe y matiza en tenuidades de luz, filtrándose por las verdes celosías, ocultas a su vez por blondas finísimas.

Ricos almohadones, con bordados de flores y paisajes al relieve, sirven de asiento para saborear el exquisito café turco que ofrece Nafisa en cafetera y bandeja cinceladas, con incrustaciones de plata, y en mesita cubierta de arabescos y nácar.

A la despedida obsequió a los huéspedes con presentes que no la harán olvidar. Ningún varón verá el rostro de una mujer, pues el Corán lo indica: *Ni de tu hermano harás ver la cara de tu mujer.*

Un matrimonio de gente pobre, beduínos no ricos, pues entre éstos hay algunos cuyas tocas cuestan cincuenta pesos o más, debía efectuarse una noche, y fuimos a presenciar las felicitaciones y los agasajos. Fue un baile al aire libre: un hombre danzando, otro con una tambora, dos flautines árabes y dos mujeres con continuados movimientos, ondulaciones, sonajas de monedas de que están cargados los cabellos y el traje, saltando y contoneando el vientre; cosa que no tiene la impudencia que se le da o adquiere cuando es una representación teatral ante miradas de personas infiltradas de la civilización de Occidente.

Visitando una vez más las Pirámides, acercándonos a la de Cheops, cuya cara principal, como la cabeza de la Esfinge, mira al sol saliente, en los momentos en que pasaba un *sand-car*, de ruedas muy anchas para no hundirse en la arena, escuchamos como partiendo de una excavación junto al gigante un *chas-chas*, como de huesos mondos rondando los unos sobre los otros y como si se hiciera gran remoción de ellos con palos y picos. ¡Era la voz de los siglos devolviendo, en el eco, con acento fuerte, el imperceptible ruido del chirriar de las ruedas al interrumpir el silencio de un sueño de cuatro mil años o más!

El Corán nos dice, y lo copiamos sin comentarios:

No digas que Jesús es hijo de Dios; Dios es único, sin socios ni compañeros; pero Jesús es el primero de sus elegidos. Y la religión que quizás es la mejor y la más estrictamente observada por sus creyentes, cuya base es la caridad eficaz de individuo a individuo, posee versículos que son la base y el lazo de unión entre pueblos de lejanos confines, con costumbres, trajes, lenguas y tendencias distintos.

Bien supo Mohamed, el Alabado, dar una dirección a la imaginación de los que, con las fatigas del desierto, habían de necesitar una guía y una esperanza para permanecer serenos e impasibles bajo los rayos de un sol ardiente, agobiados por una sed abrasadora, arrastrados por un huracán devastador y teniendo por única recompensa los beneficios de la adoración de un ser único: Dios, Alá.

El Kedive de Egipto ha publicado la siguiente ley, que impresa ha sido colocada, en lugar visible, en todos los hoteles:

«*Ministerio del Interior.—Backhish—Aviso importante.*—Varias veces ha sido llamada la atención de las autoridades egipcias, tanto por los que visitan el país como por los que en él residen, sobre el mal que resulta de la dádiva indiscreta del *backhish* (propina) a los habitantes de los pueblos del Nilo y de otros lugares a los cuales acuden los *touristes* en la estación invernal. La intención de los donantes es bondadosa, a no dudarlo; pero en la práctica —más especialmente en Egipto, por el aumento anual de visitantes— puede no ser buena, sobre todo en esas ciudades a que los *touristes* acuden en gran número, dando por resultado el que los habitantes se conformen con vivir en espera de lo que puedan obtener de *backhish* durante

los meses del invierno. La manera fácil de alcanzar un
pequeño recurso para vivir, les hace rehuir toda clase
de trabajo, y los niños, por el mal ejemplo, miran la
época de los *touristes* como la en que pueden pedir
una limosna, a fuerza de clamores, convirtiéndose después, tanto ellos como sus parientes, en unos holga-
zanes, buenos para nada en el resto del año. No es necesario demostrar cuán perjudicial es este sistema
para un pueblo.

»Por otra parte, desde el punto de vista de los mismos viajeros, la inconveniencia de esa mendicidad uni-
versal es naturalmente clara, y seguirá en aumento el
mal de un modo asombroso si no se toman medidas
para detener su marcha.

»Es extremadamente dificultoso para el Gobierno
hallar un remedio positivo para este mal. El verdadero remedio está en manos de los mismos viajeros.
Si el dinero dado fuera en todo caso la retribución de
un servicio prestado, o fuese el socorro a una legítima
necesidad, la perniciosa costumbre de pedir moriría
prontamente, para bien del pueblo y de los visitantes.

»Y es por esta convicción que las autoridades tienen la esperanza de que los viajeros en Egipto que-
rrán prestar su decidido apoyo a esta importante me-
dida, absteniéndose de distribuir ningún *backhish*, y
haciéndolo solamente en los casos en que las circunstancias, demostrando la verdadera necesidad, sean
una garantía de su generosidad.

»Se ruega especialmente también a los *touristes* el
que no arrojen monedas a los muelles y a las orillas
del Nilo, con el fin de que los pilletes se tiren a tomarlas con la boca, exhibición malsana y que sólo sirve
para base de degradación», etc., etc...

...¡Hermoso ejemplo dado por una autoridad que

aspira a elevar a sus conciudadanos ante la consideración y el respeto de los extranjeros!...

....

El mar vuelve a poseernos, movedizas sus olas como el pensamiento del hombre, siempre inquieto, que no se detiene jamás, y va envolviéndonos en recuerdos lo que era imagen presente. Port-Said nos abre paso hacia el Mediterráneo, y llevamos el cuerpo cansado y el espíritu colmado de impresiones; la poesía embarga el corazón, y sin ruido, como las corrientes del Nilo graban diariamente en las orillas las líneas de su altura, esa poesía va aumentándose y manteniéndose en el espíritu del viajero, con las voluptuosidades que Oriente hace concebir con sus flores, sus perfumes y sus mujeres...

La arrogante y bella figura del árabe se destaca clara y serena en la lejanía, como en ese cielo sin nubes surgen los astros sin celajes, y en el diáfano y rojizo horizonte, a la puesta del sol, resalta la silueta del paciente camello olfateando el aire caliente que el desierto envía...

Y el alma, inundada de los tiempos que fueron y parecen resurgir, lleva una estela de melancolía, con todos los sentimientos de inmortalidad, de gloria y de pasión que, aunque permanezcan sellados los labios, mueven a la mente a prorrumpir, estremeciendo las fibras todas de nuestro ser: «¡Oriente, tú nos has conquistado; somos tus adoradores!».

FIN